수학 문 운지감

상상력이 사고력

상상력의 기초

KB060199

선 하나를 내리긋는 힘!

직사각형이 있습니다.
윗변의 어느 한 점과 밑변의 두 끝을 연결한
삼각형을 만듭니다.

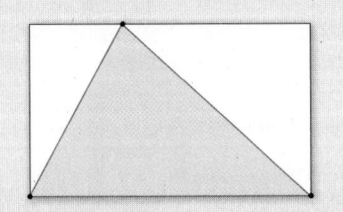

이 삼각형은 직사각형 전체 넓이의 얼마를 차지할까요?

옛 수학자가 이 문제를 푸느라
몇 날 며칠 밤, 땀을 뻘뻘 흘립니다.

그러다 문득!
삼각형의 위쪽 꼭짓점에서 수직으로 선을 하나 내리긋습니다.

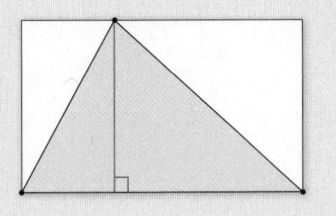

초등 4A

상위권의 기준

최상위 사고력

수학 좀 한다면

디딤돌

수헌 윤형로

최상위 사고력을 위한 특별 학습 서비스

문제풀이 동영상
최고난도 문제를 동영상으로 제공하여 줍니다.

최상위 사고력 4A

펴낸날 [초판 1쇄] 2019년 1월 29일 [초판 3쇄] 2022년 4월 13일
펴낸이 이기열
대표저자 한헌조
펴낸곳 (주)디딤돌 교육
주소 (03972) 서울특별시 마포구 월드컵북로 122 청원선와이즈타워
대표전화 02-3142-9000
구입문의 02-322-8451
팩시밀리 02-338-3231
홈페이지 www.didimdol.co.kr
등록번호 제10-718호

이제 모든 게 선명해집니다.

직사각형은 2개로 나뉘었고

각각의 직사각형은 삼각형의 두 변에 의해 반씩 나누어 집니다.

정답은 $\frac{1}{2}$

그러나 중요한 건 정답이 아닙니다.

문제를 해결하려 땀을 뻘뻘 흘리다, 뇌가 번쩍하며

선 하나를 내리긋는 순간!

스스로 수학적 개념을 발견하는 놀라움!

삼각형, 직사각형의 넓이 구하는 공식을 달달 외워

기계적으로 문제를 푸는 것이 아닌

진짜 수학적 사고력이란 이런 것입니다.

문제에 부딪혔을 때, 문제를 해결하는 과정 속에서

스스로 수학적 개념을 발견하고 해결하는 즐거움.

이러한 즐거운 체험의 연속이 수학적 사고력의 본질입니다.

선 하나를 내리긋는 놀라운 생각.

디딤돌 최상위 사고력입니다.

수학적 개념을 발견하고 해결하는 즐거운 여행

정답을 구하는 것이 목적이 아니라
생각하는 과정 자체가 목적이 되는 문제들로 구성하였습니다.

4-2. 모양을 겹쳐서 도형 만들기

1 겹쳐진 부분을 찾아 색칠하고 색칠한 도형의 개수를 각각 쓰시오.

삼각형 _____ 개

사각형 _____ 개

오각형 _____ 개

육각형 _____ 개

2 크기와 모양이 같은 삼각형 2개를 겹쳤을 때 겹쳐진 부분의 모양이 오각형과 육각형이 되도록 그리시오.

오각형

육각형

뇌가 번쩍

앞의 문제를 자신만의 방법으로 풀면서 뒤죽박죽 생각했던 것들이
명쾌한 수학개념으로 정리됩니다. 이제 똑똑해지는 기분이 듭니다.

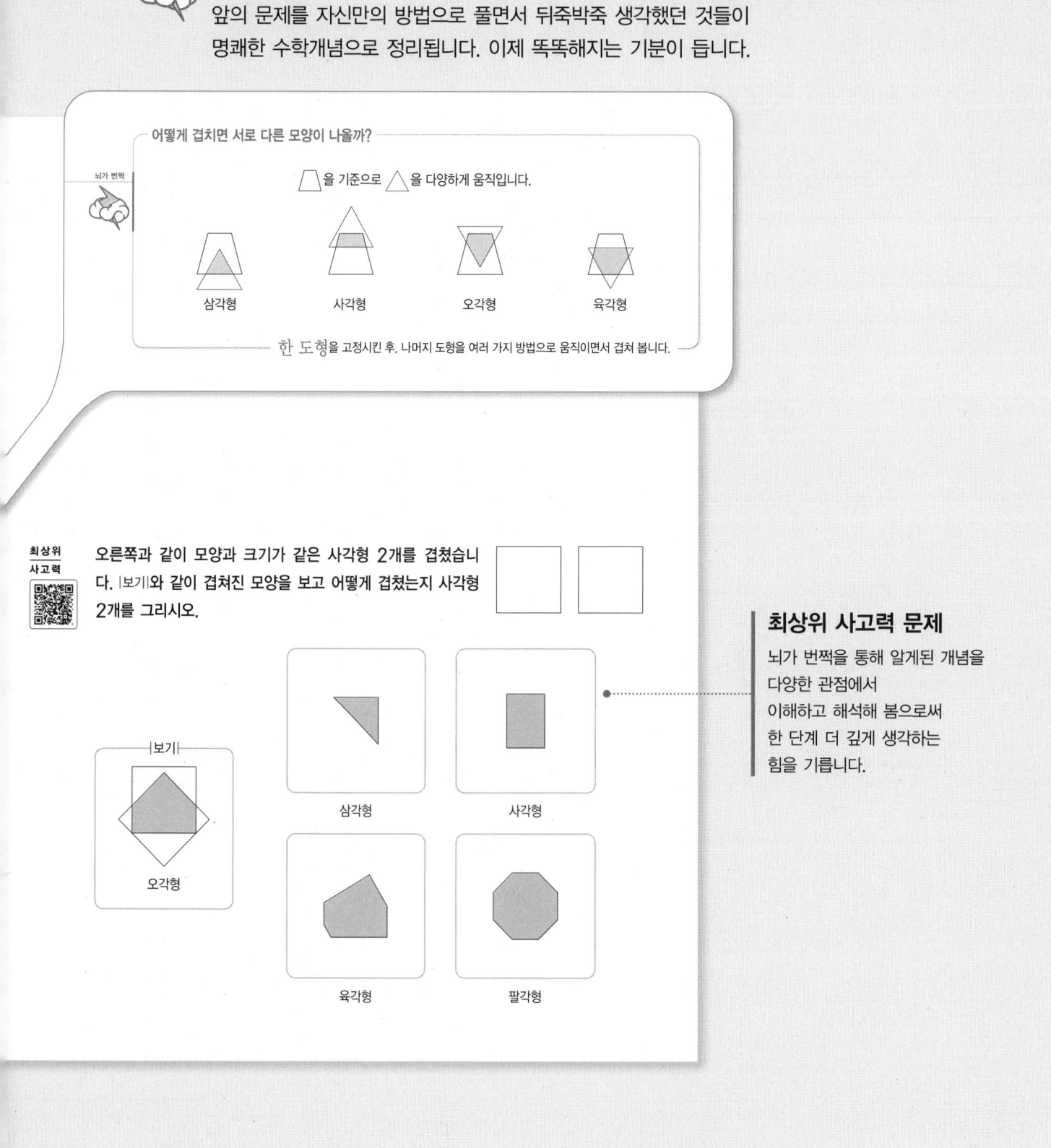

뇌가 번쩍

어떻게 겹치면 서로 다른 모양이 나올까?

⬡ 을 기준으로 △ 을 다양하게 움직입니다.

삼각형　　　사각형　　　오각형　　　육각형

한 도형을 고정시킨 후, 나머지 도형을 여러 가지 방법으로 움직이면서 겹쳐 봅니다.

최상위 사고력

오른쪽과 같이 모양과 크기가 같은 사각형 2개를 겹쳤습니다. |보기|와 같이 겹쳐진 모양을 보고 어떻게 겹쳤는지 사각형 2개를 그리시오.

|보기|

오각형

삼각형

사각형

육각형

팔각형

최상위 사고력 문제

뇌가 번쩍을 통해 알게된 개념을
다양한 관점에서
이해하고 해석해 봄으로써
한 단계 더 깊게 생각하는
힘을 기릅니다.

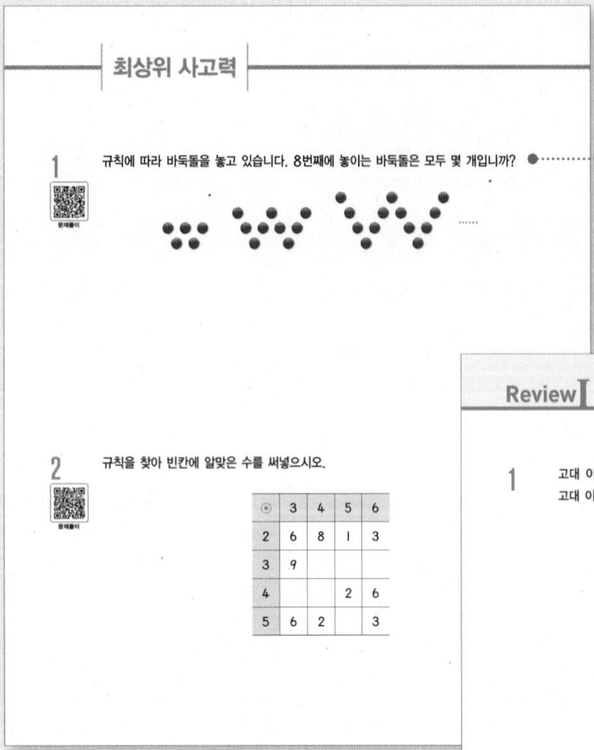

최상위 사고력

1 규칙에 따라 바둑돌을 놓고 있습니다. 8번째에 놓이는 바둑돌은 모두 몇 개입니까?

2 규칙을 찾아 빈칸에 알맞은 수를 써넣으시오.

⊙	3	4	5	6
2	6	8	1	3
3	9			
4			2	6
5	6	2		3

최상위 사고력
앞에서 배운 내용 뿐 아니라 앞에서 다루지 않은 사고력 문제를 통해 생각하는 방법을 키워줍니다.

문제풀이 동영상
글로 설명하기 어려운 문제나 최고난도 문제를 동영상으로 제공하여 줍니다.

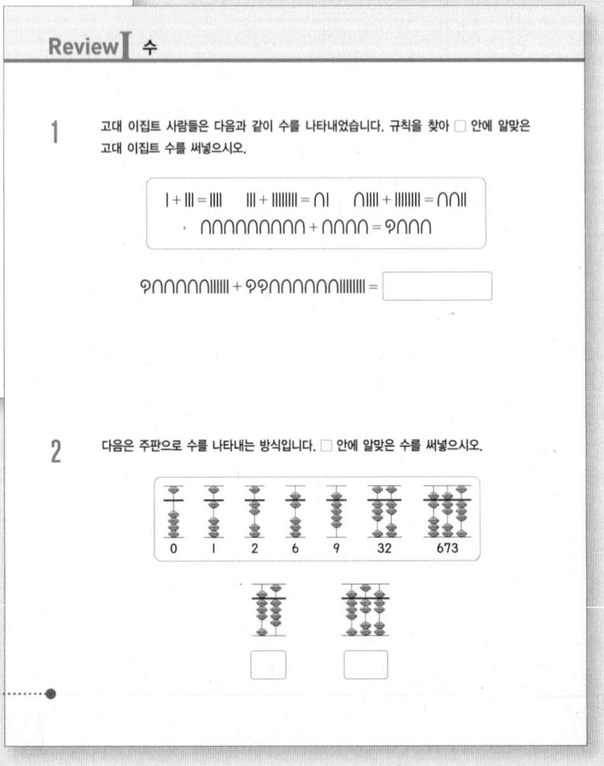

Review Ⅰ 수

1 고대 이집트 사람들은 다음과 같이 수를 나타내었습니다. 규칙을 찾아 □ 안에 알맞은 고대 이집트 수를 써넣으시오.

$$I + III = IIII \qquad III + IIIIIII = \cap I \qquad \cap IIII + IIIIIIII = \cap \cap II$$

$$\cap\cap\cap\cap\cap\cap\cap\cap + \cap\cap\cap\cap = 9\cap\cap\cap$$

$$9\cap\cap\cap\cap IIIII + 99\cap\cap\cap\cap\cap\cap IIIIIII = \boxed{}$$

2 다음은 주판으로 수를 나타내는 방식입니다. □ 안에 알맞은 수를 써넣으시오.

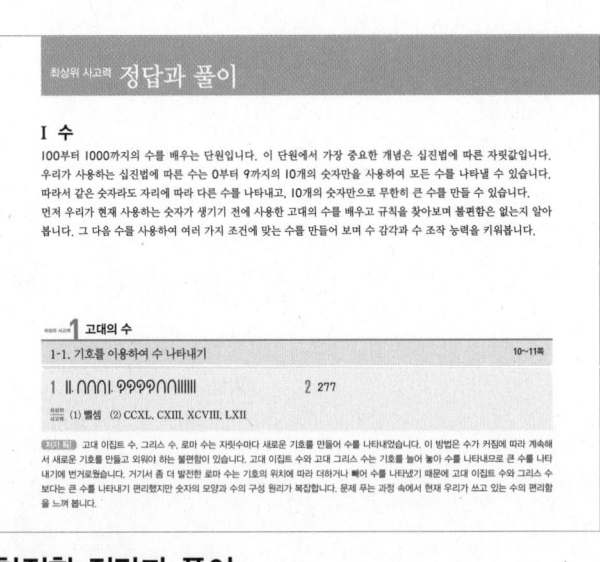

| 0 | 1 | 2 | 6 | 9 | 32 | 673 |

Review
단원이 끝날때마다 Review 문제로 얼마나 기억하고 있는지 확인합니다.

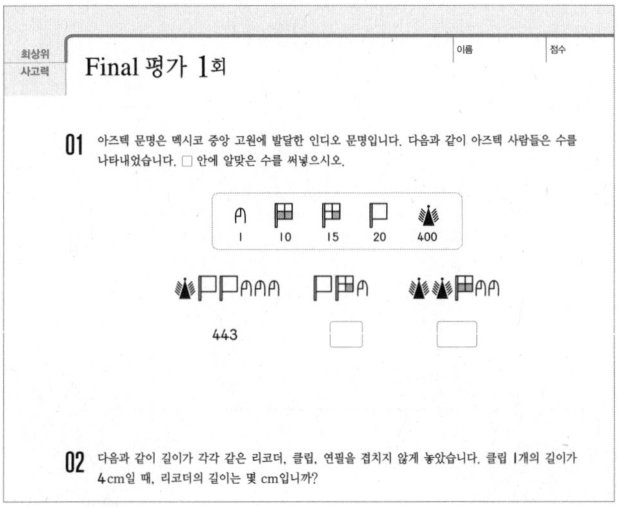

최상위 사고력

Final 평가 1회   이름   점수

01 아즈텍 문명은 멕시코 중앙 고원에 발달한 인디오 문명입니다. 다음과 같이 아즈텍 사람들은 수를 나타내었습니다. □ 안에 알맞은 수를 써넣으시오.

1	10	15	20	400

443

02 다음과 같이 길이가 각각 같은 리코더, 클립, 연필을 겹치지 않게 놓았습니다. 클립 1개의 길이가 4cm일 때, 리코더의 길이는 몇 cm입니까?

Final 평가
이 책에서 다룬 사고력 문제를 시험지 형식으로 풀어보며 실전 감각을 키웁니다.

최상위 사고력 **정답과 풀이**

Ⅰ 수
100부터 1000까지의 수를 배우는 단원입니다. 이 단원에서 가장 중요한 개념은 십진법에 따른 자릿값입니다. 우리가 사용하는 십진법에 따른 수는 0부터 9까지의 10개의 숫자만을 사용하여 모든 수를 나타낼 수 있습니다. 따라서 같은 숫자도 자리에 따라 다른 수를 나타내고, 10개의 숫자만으로 무한히 큰 수를 만들 수 있습니다. 먼저 우리가 현재 사용하는 숫자가 생기기 전에 사용한 고대의 수를 배우고 규칙을 찾아보며 불편함은 없을지 알아 봅니다. 그 다음 수를 사용하여 여러 가지 조건에 맞는 수를 만들어 보며 수 감각과 수 조작 능력을 키워봅니다.

1 고대의 수

1-1. 기호를 이용하여 수 나타내기		10~11쪽
1 Ⅱ 999999∩∩∩IIIIII		2 277

최상위 사고력 (1) 뺄셈 (2) CCXL, CXIII, XCVIII, LXII

고대 이집트 수, 그리스 수, 로마 수는 자릿수마다 새로운 기호를 만들어 수를 나타냅니다. 이 방법은 수가 커짐에 따라 계속해서 새로운 기호를 만들고 외워야 하는 불편함이 있습니다. 고대 이집트 수와 고대 그리스 수는 기호를 늘어 놓아 수를 나타내므로 큰 수를 나타내기에 번거로웠습니다. 거기서 좀 더 발전한 로마 수는 기호의 위치에 따라 더하거나 빼어 수를 나타내기 때문에 고대 이집트 수와 그리스 수보다는 큰 수를 나타내기 편리했지만 숫자의 모양과 수의 구성 원리가 복잡합니다. 문제 푸는 과정 속에서 현재 우리가 쓰고 있는 수의 편리함을 느껴 봅니다.

친절한 정답과 풀이
단원 배경 설명, 저자 톡!을 통해 문제를 선정하고 배치한 이유를 알려줍니다. 문제마다 좀 더 보기 쉽고, 이해하기 쉽게 설명하려고 하였습니다.

contents

I

1-2. 자릿값 이용하기

1 서양에서는 수를 쓰고, 읽을 때 세 자리마다 수를 표현하는 단위가 thousand, million, billion, trillion……으로 바뀝니다. 또한 큰 수를 나타낼 때 정확하고 편리하게 사용하기 위해 자릿값을 세 자리마다 쉼표(,)를 사용하여 나타내는데 이 방법을 우리나라에서도 사용하고 있습니다. ㉮는 1000만이 3000인 수이고, ㉯는 3 billion입니다. ㉮는 ㉯의 몇 배인지 구하시오.

우리나라

천	백	십	일	천	백	십	일	천	백	십	일	천	백	십	일
			조				억				만				

서양

hundred	ten	one	hundred	ten	one	hundred	ten	one	hundred	ten	one	hundred	ten	one
	trillion			billion			million			thousand				

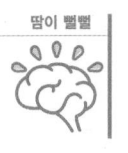

2 어느 회사의 지난 1년 동안의 매출이 일억 원짜리 수표 17200장, 십만 원짜리 수표 8025장, 만 원짜리 지폐 30650장, 천 원짜리 지폐 63장, 500원짜리 동전 1개, 100원짜리 동전 35개였습니다. 이 돈을 모두 백만 원짜리 수표로 바꾼다면 최대 몇 장까지 바꿀 수 있는지 구하시오.

예 5200억 6만 원을 십만 원짜리 수표로 바꾸기

① 네 자리씩 나누어 표시하기

5	2	0	0	0	0	0	0	6	0	0	0	0
천	백	십	일	천	백	십	일	천	백	십	일	

억   만

② 바꾸는 단위까지 쓰기

5	2	0	0	0	0	0	6	0	0	0	0
천	백	십	일	천	백	십	일	천	백	십	일

억   만

➡ 5200000장

다음을 읽고 물음에 답하시오.

영국 왕립천문학회(RAS)에서 발견한 항성과 행성으로 이루어진 초거대 태양계는 지구로부터 100광년 떨어진 거리에 있다고 합니다. 이 초거대 태양계의 항성과 행성은 모두 100만~4500만 년 전에 생겨난 것으로 생명체가 존재할 가능성은 낮은 것으로 추정됩니다.

(1) 1광년은 빛이 진공 속에서 1년 동안 이동하는 거리로 9조 4600억 km입니다. 초거대 태양계는 지구로부터 몇 km 떨어진 거리에 있는지 구하시오.

(2) 1000 km는 1 Mm(메가미터)이고, 1 Tm(테라미터)의 $\dfrac{1}{1000000}$은 1 Mm입니다. 위 (1)에서 구한 거리를 Tm 단위로 바꾸어 나타낼 때 0은 몇 번 써야 하는지 구하시오.

1-3. 조건과 수

1 다음 |조건|에 맞는 수 중에서 가장 큰 수를 구하시오.

|조건|
- 일곱 자리 수입니다.
- 백만의 자리 숫자는 일의 자리 숫자보다 5 큽니다.
- 0이 모두 3개 사용됩니다.

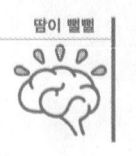

2 다음 |조건|에 맞는 다섯 자리 수를 구하시오.

|조건|
- 각 자리의 숫자들은 모두 다르고 5보다 작습니다.
- 2로 나누면 나머지가 1입니다.
- 백의 자리 숫자에 어떤 수를 곱하여도 0이 됩니다.
- 만의 자리 숫자는 천의 자리 숫자보다 2 큽니다.
- 십의 자리 숫자는 일의 자리 숫자보다 2 큽니다.

조건에 맞는 수를 구하는 방법은?

뇌가 번쩍

조건1 같은 숫자가 2개씩 있습니다.

조건2 일의 자리 숫자와 천의 자리 숫자의 합이 18인 네 자리 수입니다.

조건3 십의 자리 숫자는 천의 자리 숫자보다 3 작습니다.

| 조건2 | 9 | | | 9 |

↓

| 조건3 | 9 | | 6 | 9 |

↓

| 조건1 | 9 | 6 | 6 | 9 |

─── 수의 범위를 좁힐 수 있는 조건부터 이용합니다.

최상위 사고력

주어진 수 카드를 한 번씩 사용하여 만들 수 있는 아홉 자리 수 중에서 |조건|에 맞는 가장 큰 수를 구하시오.

|조건|
- 2와 3 사이에 있는 모든 숫자의 합은 10입니다.
- 1과 2 사이에 있는 모든 숫자의 합은 9입니다.
- 4와 7 사이에 있는 모든 숫자의 합은 10입니다.
- 2와 9 사이에 있는 모든 숫자의 합은 21입니다.

1 주어진 4장의 글자 카드를 한 번씩 사용하여 만들 수 있는 수 중에서 가장 큰 수를 구하시오.

억 팔 천 이

2 선생님께서 여덟 자리 수를 불러주셨는데 진하가 높은 자리의 두 숫자를 서로 바꾸어 적어 선생님께서 불러주신 수보다 360000000이 커졌습니다. 가장 높은 자리의 두 숫자의 합이 12라고 할 때 선생님께서 불러주신 수를 구하시오.

□□371058

3

| 경시대회 기출 |

세 자리 수 345에서 숫자 1개를 지워서 만들 수 있는 서로 다른 두 자리 수는 45, 35, 34 입니다. 여섯 자리 수 131313에서 숫자 2개를 지워서 만들 수 있는 서로 다른 네 자리 수는 모두 몇 개인지 구하시오.

4

문제풀이

다음 |조건|에 맞는 수 중에서 가장 큰 수를 구하시오.

┤조건├

• 각 자리 숫자가 모두 다른 여덟 자리 수입니다.
• 백의 자리 숫자는 만의 자리 숫자보다 7 작습니다.
• 십만의 자리 숫자가 가장 크고 천의 자리 숫자가 가장 작습니다.
• 천만의 자리 숫자, 백만의 자리 숫자, 십의 자리 숫자, 일의 자리 숫자의 합은 14입니다.
• 2로 나누어떨어집니다.

정답과 풀이 13쪽 ▶

2-1. 오름수와 내림수

└─ 각 자리 숫자가 오른쪽으로 갈수록 점점 커지는 수   └─ 각 자리 숫자가 오른쪽으로 갈수록 점점 작아지는 수

1 다음 수들을 보고 물음에 답하시오.

> 34, 16, 248, 359, 2457

(1) 이 수들의 공통점을 설명하시오.

(2) 이런 성질을 가진 수 중에서 5000보다 큰 네 자리 수를 모두 쓰시오.

땀이 뻘뻘

2 541, 920, 654와 같이 일의 자리 숫자보다 십의 자리 숫자가 더 크고, 십의 자리 숫자보다 백의 자리 숫자가 더 큰 세 자리 수는 모두 몇 개인지 구하시오.

세 자리 수 중에서 오름수는 몇 개일까?

뇌가 번쩍

예 1부터 5까지의 숫자로 세 자리 수를 만들 때 각 자리 숫자가 오른쪽으로 갈수록 점점 커지는 수

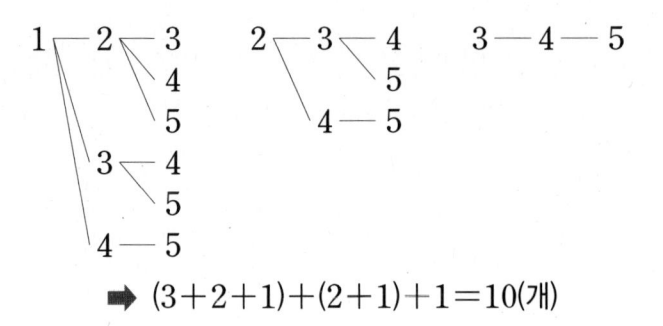

➡ $(3+2+1)+(2+1)+1=10(개)$

나뭇가지 그림을 그리고 규칙을 찾아 구합니다.

최상위 사고력

1248은 1<2, 1+2<4, 1+2+4<8과 같이 앞의 숫자들의 합이 다음 숫자보다 작은 성질을 가진 수입니다. 물음에 답하시오.

(1) 이런 성질을 가진 세 자리 수는 모두 몇 개인지 구하시오.

(2) 이런 성질을 가진 세 자리 수 중에서 가장 큰 수를 구하시오.

정답과 풀이 15쪽 ▶

2-2. 몇 번째 수 만들기

1 주어진 수 카드를 한 번씩 사용하여 만들 수 있는 네 자리 수 중에서 4500보다 크고 5450보다 작은 수를 모두 쓰시오.

| 3 | 5 | 6 | 4 |

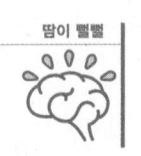 **2** 주어진 수 카드 중 4장을 뽑아 만들 수 있는 네 자리 수 중에서 3981은 몇 번째로 큰 수 인지 구하시오.

| 1 | 3 | 7 | 8 | 9 |

수 카드로 만들 수 있는 수의 개수는 어떻게 구할까?

백		십		일
백의 자리에 사용할 수 있는 숫자의 개수	×	백의 자리에 사용하고 남은 숫자 중에서 사용할 수 있는 숫자의 개수	×	백의 자리와 십의 자리에 사용하고 남은 숫자 중에서 사용할 수 있는 숫자의 개수

가장 높은 자리부터 사용할 수 있는 **숫자의 개수의 곱**으로 구합니다.

최상위 사고력

주어진 수 카드를 한 번씩 사용하여 다섯 자리 수를 만들려고 합니다. 물음에 답하시오.

| 1 | 5 | 0 | 3 | 8 |

(1) 30번째로 큰 수를 구하시오.

(2) 20번째로 작은 수를 구하시오.

정답과 풀이 16쪽 ▶

2-3. 대칭수

1 11, 212, 3113과 같이 순서대로 읽어도 거꾸로 읽어도 같은 수가 되는 수를 '대칭수'라 고 합니다. 10부터 999까지의 수 중에서 대칭수는 모두 몇 개인지 구하시오.

땀이 뻘뻘

2 대칭수가 아닌 수는 그 수를 거꾸로 읽은 수와 더하면 대칭수가 될 수 있습니다. 물음에 답 하시오.

$$132(대칭수가 아닙니다.) \xrightarrow{132+231} 363(대칭수입니다.)$$

(1) 주어진 수를 거꾸로 읽은 수와 더해 나갈 때 몇 번째 단계에서 대칭수가 나오는지 ☐ 안에 알맞은 수를 써넣으시오.

① 152 ➡ ☐ 단계   ② 431 ➡ ☐ 단계   ③ 264 ➡ ☐ 단계

④ 729 ➡ ☐ 단계   ⑤ 602 ➡ ☐ 단계   ⑥ 546 ➡ ☐ 단계

(2) (1)에서 찾은 1단계 수들의 공통점을 설명하시오.

대칭수를 어떻게 만들 수 있을까?

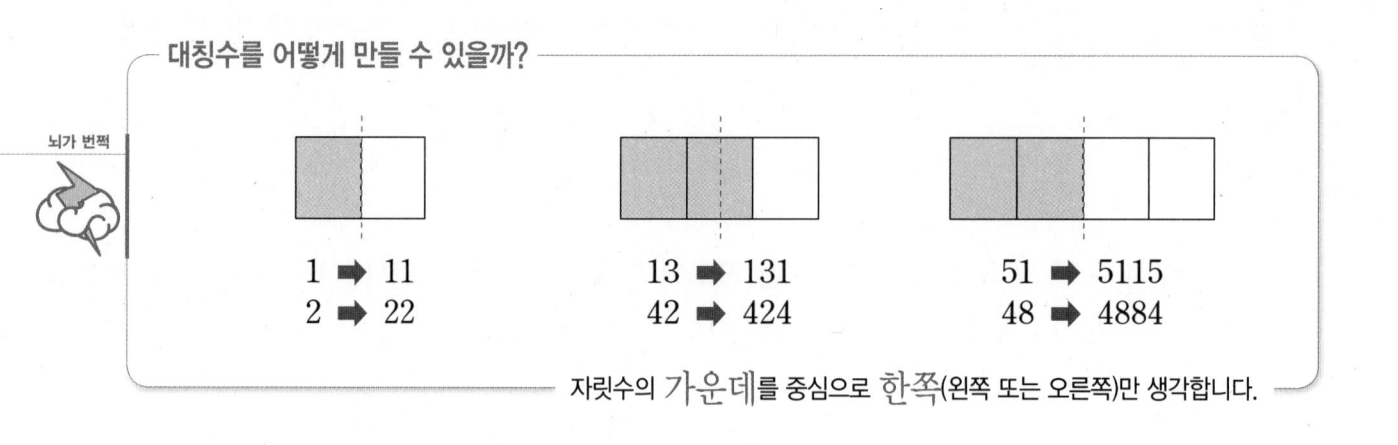

1 ➡ 11
2 ➡ 22

13 ➡ 131
42 ➡ 424

51 ➡ 5115
48 ➡ 4884

자릿수의 **가운데**를 중심으로 **한쪽**(왼쪽 또는 오른쪽)만 생각합니다.

**최상위
사고력**

4개의 숫자로 시각을 표시하는 전자 시계에서 0220, 1111, 1221와 같이 앞에서 읽어도 뒤에서 읽어도 같은 시각은 낮 12시부터 밤 12시까지 모두 몇 번 나타나는지 구하시오. (단, 오후 2시를 14시로 표시하지 않고 02:00로 표시합니다.)

02:10 ➡ 0210

💡 시는 0부터 12까지, 분은 0부터 59까지의 숫자로 시각을 표시합니다.

정답과 풀이 18쪽 ▶

1

어떤 수의 각 자리의 숫자를 2번 곱하여 더하기를 반복하였을 때 1이 되는 수를 Happy number라고 합니다. 물음에 답하시오.

$$82 \xrightarrow{8 \times 8 + 2 \times 2} 68 \xrightarrow{6 \times 6 + 8 \times 8} 100 \xrightarrow{1 \times 1 + 0 \times 0 + 0 \times 0} 1$$

(1) 7이 Happy number가 되는 과정을 쓰시오.

(2) 두 자리 수와 세 자리 수 중에서 Happy number를 각각 3개씩 찾아 쓰시오.

2

다음과 같이 세 자리 수 중에서 세 글자로 읽히는 수는 모두 몇 개인지 구하시오.

120 : 백이십

3 다음 |조건|에 맞는 수를 모두 구하시오.

> ─────|조건|─────
> • 홀수인 네 자리 수입니다.
> • 각 자리 숫자의 합은 27입니다.
> • 높은 자리로 갈수록 숫자가 커지는 내림수입니다.

4 네 자리 수 중에서 7734, 8077과 같이 숫자 7이 두 번만 이웃하는 수는 모두 몇 개인지 구하시오.

💡 7737, 7077과 같은 수도 빠뜨리지 않고 셉니다.

3-1. 수와 숫자의 개수

1 1쪽부터 순서대로 쪽수가 적힌 소설책 한 권이 있습니다. 쪽수에는 모두 81개의 숫자가 사용되었습니다. 이 책은 모두 몇 쪽인지 구하시오.

땀이 뻘뻘

2 다음과 같이 1부터 1500까지의 수를 연속해서 써서 수를 만들었습니다. 만든 수는 모두 몇 자리 수인지 구하시오.

> 12345……14991500

뇌가 번쩍

1부터 999까지의 수에 나오는 숫자의 개수는 어떻게 구할까?

범위	한 자리 수	두 자리 수	세 자리 수
수의 개수	9개	90개 (99－10＋1)	900개 (999－100＋1)
숫자의 개수	9개	180개 (90×2)	2700개 (900×3)

각 자리 수로 나누어 구합니다.

최상위
사고력

0부터 9까지의 숫자가 새겨진 도장으로 1부터 차례로 수를 찍었습니다. 1000번째에 찍은 숫자를 구하시오.

> 123456789101112131415……

3-2. 어떤 숫자가 들어있는 수

1 1부터 99까지의 자연수를 쓰려고 합니다. 0부터 9까지의 숫자를 각각 몇 개씩 쓰게 되는지 표에 알맞은 수를 써넣으시오.

> 1, 2, 3, 4, 5······98, 99

숫자	0	1	2	3	4	5	6	7	8	9
개수(개)										

땀이 뻘뻘

2 1부터 1000까지의 자연수를 쓸 때 숫자 1은 모두 몇 개 쓰게 되는지 구하시오.

0부터 999까지의 자연수를 쓸 때 숫자 5의 개수를 구하는 방법은?

① 0부터 999까지의 수를 모두 세 자리 수로 생각하여 다음과 같이 씁니다.

000	001	002	……	007	008	009
010	011	012	……	017	018	019
		⋮			⋮	
990	991	992	……	997	998	999

② 0부터 999까지 수의 개수는 1000개이고, 모두 세 자리 수이므로 숫자의 개수는 $1000 \times 3 = 3000$(개)입니다.

③ 0부터 9까지 각 숫자의 개수는 모두 같으므로 숫자 5의 개수는 $3000 \div 10 = 300$(개)입니다.

최상위 사고력

컴퓨터로 1부터 1800까지의 자연수를 입력하려고 합니다. 가장 많이 눌러야 하는 숫자 자판과 그 숫자 자판을 몇 번 눌러야 하는지 각각 구하시오.

3-3. 모든 숫자의 합

1 0부터 99까지의 자연수의 모든 숫자의 합을 구하시오.

$$47 \Rightarrow (\text{모든 숫자의 합}) = 4 + 7 = 11$$

2 민수는 1부터 999까지의 자연수를 연속해서 종이 위에 쓴 다음 숫자 5만 모두 지웠습니다. 종이 위에 적힌 모든 숫자의 합을 구하시오.

1 2 3 4 ~~5~~ 6 7 8 9 10 11 12 13 14 1~~5~~ 16……

21부터 28까지의 자연수의 모든 숫자의 합은?

방법1 숫자의 개수 이용하기

숫자 2의 개수: 9개
숫자 1, 3, 4……6, 7, 8의 개수: 각각 1개
모든 숫자의 합은
$2 \times 9 + (1+3+4+\cdots+6+7+8)$
$= 52$입니다.

방법2 수의 합 이용하기

$$\overset{49}{\overbrace{21+22+\cdots}}\underset{49}{\underbrace{+27+28}}$$

49가 모두 4쌍이고, 49의 숫자의 합은
$4+9=13$이므로 $13 \times 4 = 52$입니다.

최상위
사고력

다음과 같이 0부터 10000까지의 자연수를 연속해서 쓸 때 모든 숫자의 합을 구하시오.

$$0123456789101112131415\cdots 10000$$

31 Ⅰ 수

정답과 풀이 23쪽 ▶

1 7부터 777까지의 자연수를 쓸 때 수의 개수와 숫자의 개수를 각각 구하시오.

2 계산기로 1부터 9999까지의 자연수를 더한 값을 구하기 위해 계산기 버튼을 누르려고 합니다. 계산기 버튼을 모두 몇 번 눌러야 하는지 구하시오.

$$\boxed{1}\; \boxed{+}\; \boxed{2}\; \boxed{+}\; \boxed{3}\; \cdots\cdots\; \boxed{+}\; \boxed{9}\; \boxed{9}\; \boxed{9}\; \boxed{9}\; \boxed{=}$$

3 어느 초등학교는 각 학년이 5반으로 이루어져 있고, 각 반의 학생은 30명으로 구성되어 있습니다. 이 학교에서는 학생 번호를 다음과 같은 방법으로 정할 때 전교생 중에서 번호에 0 또는 1이 들어가는 학생은 모두 몇 명인지 구하시오.

> 1학년 3반 8번 ➡ 1308
> 4학년 2반 10번 ➡ 4210

4 1부터 999까지의 자연수가 적힌 티켓을 나누어 주려고 합니다. 숫자 7이 들어있는 티켓을 가진 사람들에게 상품을 준다고 할 때 필요한 상품은 모두 몇 개인지 구하시오.

정답과 풀이 24쪽 ▶

1 태양에서 천왕성까지의 거리는 28억 7000만 km입니다. 이 거리는 1 m짜리 자를 겹치지 않게 몇 개 붙여 놓은 것과 같은지 구하시오.

2 주어진 4장의 글자 카드를 한 번씩 사용하여 만들 수 있는 수 중에서 가장 큰 수를 구하시오.

3 1부터 400까지의 수가 적힌 수 카드가 있습니다. 이 카드 중에서 숫자 4가 들어있는 카드를 모두 버린다고 할 때 버리고 남은 수 카드는 모두 몇 장인지 구하시오.

4 다음과 같은 여섯 자리 수가 있습니다. 이 수는 어떤 일곱 자리 수에서 한 개의 숫자를 지워서 만든 수입니다. 원래의 수가 될 수 있는 수는 모두 몇 개인지 구하시오.

$$152308$$

정답과 풀이 26쪽 ▶

5 다음 |조건|에 맞는 수 중에서 가장 작은 수를 구하시오.

┌─────────────── |조건| ───────────────┐
- 각 자리 숫자가 모두 다른 다섯 자리 수입니다.
- 0이 1개 있습니다.
- 가장 큰 숫자는 다른 자리의 숫자를 모두 더한 것과 같습니다.
└───────────────────────────────────┘

6 슬기는 컴퓨터로 1부터 차례로 숫자 자판을 눌러서 수를 입력하고 있습니다. 지금까지 모두 1500개의 숫자를 입력했다고 할 때 슬기가 마지막에 입력한 숫자를 구하시오.

측정

4-1. 직선과 각도

1 그림에서 찾을 수 있는 예각은 모두 몇 개인지 구하시오.

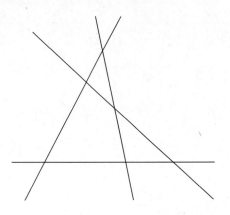

땀이 뻘뻘

2 그림에서 ㉠과 ㉡의 각도의 차를 구하시오.

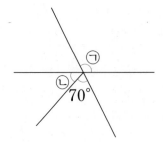

두 직선이 만날 때 서로 마주 보고 있는 각의 성질은?

두 직선이 만날 때 서로 마주 보고 있는 각을 **맞꼭지각**이라고 합니다.

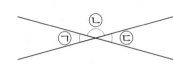

$ㄱ+ㄴ=180°$, $ㄴ+ㄷ=180°$

➡ $ㄱ+ㄴ=ㄴ+ㄷ$

➡ $ㄱ=ㄷ$

맞꼭지각의 크기는 서로 같습니다.

**최상위
사고력**

그림에서 $ㄱ+ㄴ=90°$일 때 $ㄱ$, $ㄴ$, $ㄷ$의 각도의 합을 구하시오.

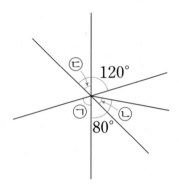

4-2. 직각 삼각자와 각도

1 두 직각 삼각자를 겹쳐서 ㉠을 만들었습니다. ㉠의 각도를 구하시오.

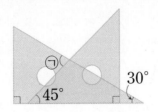

2 두 직각 삼각자로 삼각형을 만들었습니다. ㉠과 ㉡의 크기의 합이 100°일 때 ㉢의 각도를 구하시오.

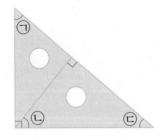

뇌가 번쩍

직각삼각형에서 이용되는 각의 성질은?

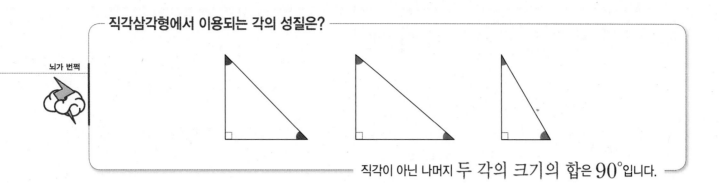

직각이 아닌 나머지 두 각의 크기의 합은 $90°$입니다.

최상위
사고력

세 직각 삼각자로 직사각형을 만들었습니다. ㉠과 ㉡의 크기가 같을 때 ㉢의 각도를 구하시오.

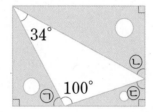

4-3. 덩어리로 각도 구하기

1 각 ㄱㄴㄹ과 각 ㄹㄴㄷ의 크기가 같고, 각 ㄱㄷㄹ과 각 ㄹㄷㄴ의 크기가 같을 때 각 ㄴㄹㄷ의 크기를 구하시오.

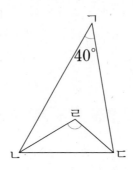

땀이 뻘뻘

2 각 ㄱㄴㅁ과 각 ㅁㄴㄹ의 크기가 같고, 각 ㄴㄱㄷ과 각 ㄷㄱㄹ의 크기가 같을 때 각 ㄱㄷㄹ과 각 ㄴㅁㄹ의 크기의 합을 구하시오.

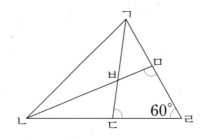

각각의 각도를 알 수 없는 경우 ㉠의 각도를 구하는 방법은?

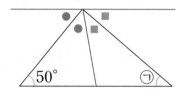

●+●+■+■=180°,
●+■=90°이고,
●+■+50°+㉠=180°이므로
90°+50°+㉠=180°입니다.
➡ ㉠=40°

─── 각도의 합을 이용합니다.

최상위
사고력

각 ㄱㄴㅂ과 각 ㅂㄴㄹ의 크기가 같고, 각 ㄴㄹㅂ과 각 ㅂㄹㅁ의 크기가 같을 때 각 ㄴㅂㄹ의 크기를 구하시오.

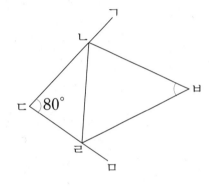

최상위 사고력

1 | 경시대회 기출 |

두 직각 삼각자를 겹쳐 놓았습니다. ㉠~㉦ 중에서 크기가 서로 다른 각은 모두 몇 개인지 구하시오.

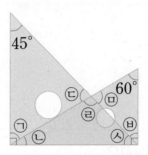

2 도형에서 ㉠의 각도를 구하시오.

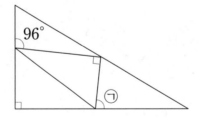

3 두 직사각형을 겹쳐 그렸습니다. ㉠과 ㉡의 각도의 합을 구하시오.

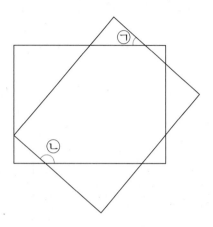

4 직각 삼각자의 점 ㄴ을 고정시키고 시계 방향으로 40°만큼 돌렸습니다. ㉠의 각도를 구하시오.

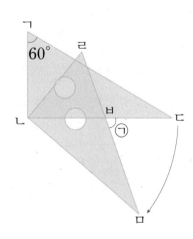

정답과 풀이 31쪽 ▶

5-1. 삼각형으로 각도 구하기

1 각 ㄴㅂㅅ과 각 ㅁㅇㄹ의 크기를 차례로 구하시오.

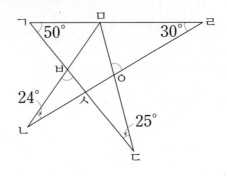

2 각 ㄱㄴㅁ과 각 ㅁㄴㄷ의 크기가 같고, 각 ㅁㄷㄹ과 각 ㄹㄷㅂ의 크기가 같을 때 각 ㄴㄹㄷ의 크기를 구하시오.

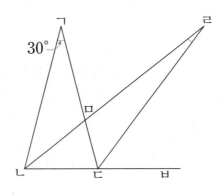

뇌가 번쩍

삼각형에서 유용하게 이용되는 각의 성질은?

도형에서 변으로 둘러싸인 부분의 안쪽의 각을 내각이라고 합니다.
도형의 한 변을 늘였을 때 바깥쪽에 만들어지는 각을 외각이라고 합니다.

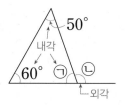

(삼각형의 세 각의 크기의 합)$=50°+60°+$㉠$=180°$
(일직선의 각)$=$㉠$+$㉡$=180°$
➡ ㉡$=50°+60°=110°$

삼각형의 한 외각의 크기는 이웃하지 않는 두 내각의 합과 같습니다.

최상위 사고력

삼각형 ㄱㄴㄷ에 각 ㄱㄴㄷ과 각 ㄱㄷㄴ을 이등분하는 선분을 각각 그었습니다.
각 ㄴㄱㄷ의 크기를 구하시오.

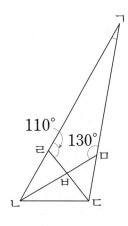

5-2. 다각형의 내각의 크기의 합

1 도형에서 ㉠, ㉡, ㉢, ㉣, ㉤의 각도의 합을 구하시오.

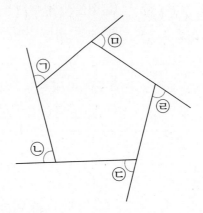

2 도형에서 ㉠, ㉡, ㉢, ㉣, ㉤, ㉥, ㉦의 각도의 합을 구하시오.

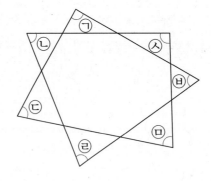

다각형의 내각의 크기의 합은 어떻게 구할까?

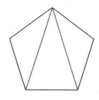

$180° \times 2 = 360°$ $180° \times 3 = 540°$ $180° \times 4 = 720°$

다각형을 삼각형으로 나누어 구합니다.

최상위 사고력

도형에서 표시된 5개의 각도의 합을 구하시오.

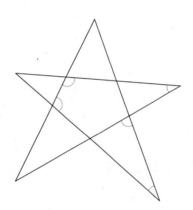

⚡ 표시된 5개의 각도를 각각 구하려고 하면 안 됩니다.

5-3. 접기와 각도

1 다음과 같이 직사각형 모양의 종이를 접었을 때 ㉠의 각도를 구하시오.

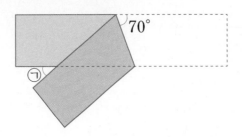

땀이 뻘뻘

2 다음과 같이 삼각형 모양의 종이를 접었을 때 각 ㄴㄱㄹ의 크기를 구하시오.

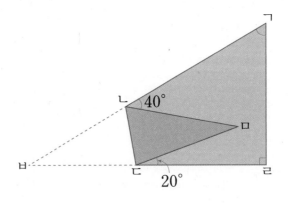

접힌 도형에서 알 수 있는 것은?

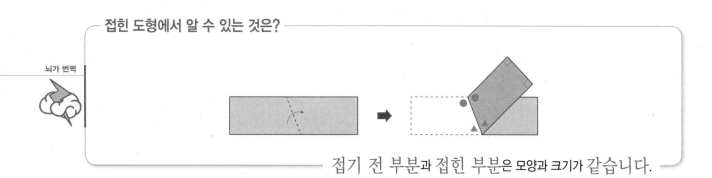

접기 전 부분과 접힌 부분은 모양과 크기가 같습니다.

최상위 사고력

다음과 같이 직사각형 모양의 종이를 2번 접었을 때 ㉠의 각도를 구하시오.

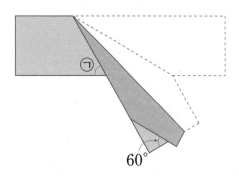

60°

1 도형에서 ㉠, ㉡, ㉢, ㉣의 각도의 합을 구하시오.

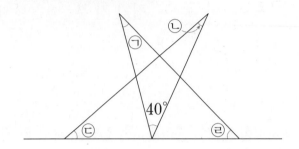

| 경시대회 기출 |

2 도형에서 표시된 9개의 각도의 합을 구하시오.

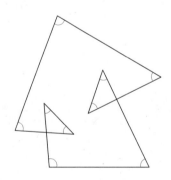

TIP 보조선을 그어 다각형을 만들어 봅니다.

3 그림에서 찾을 수 있는 크기가 서로 다른 각의 크기의 합은 420°입니다. 각 ㄱㅇㄴ과 각 ㄷㅇㄹ 의 크기가 같고, 각 ㄴㅇㄷ과 각 ㄹㅇㅁ의 크기가 같을 때 각 ㄱㅇㅁ의 크기를 구하시오. (단, 180°보다 작은 각만 생각합니다.)

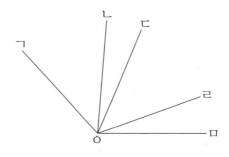

4 다음과 같이 직사각형 모양의 종이를 2번 접었을 때 ㉠과 ㉡의 각도의 합을 구하시오.

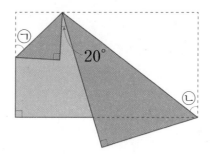

정답과 풀이 35쪽 ▶

6-1. 각도와 횟수

1 다음 중 시계의 긴바늘과 짧은바늘이 이루는 작은 쪽의 각이 예각인 시각을 모두 고르시오.

① 8시   ② 3시 30분   ③ 5시 10분

④ 7시 50분   ⑤ 2시 55분   ⑥ 11시 15분

2 다음과 같이 시계의 긴바늘과 짧은바늘이 겹쳐지는 경우와 일직선이 되는 경우가 있습니다. 오후 1시부터 오후 7시까지 시계의 긴바늘과 짧은바늘이 겹쳐지는 경우와 일직선이 되는 경우는 각각 몇 번인지 차례로 구하시오.

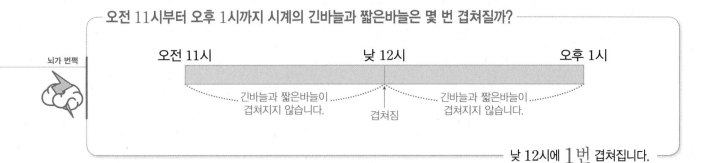

오전 11시부터 오후 1시까지 시계의 긴바늘과 짧은바늘은 몇 번 겹쳐질까?

오전 11시　　　　　　　낮 12시　　　　　　　오후 1시

긴바늘과 짧은바늘이 겹쳐지지 않습니다.　　겹쳐짐　　긴바늘과 짧은바늘이 겹쳐지지 않습니다.

낮 12시에 **1**번 겹쳐집니다.

최상위 사고력

다음과 같이 시계의 긴바늘과 짧은바늘이 직각을 이루는 경우가 있습니다. 자정부터 다음날 자정까지 시계의 긴바늘과 짧은바늘이 직각을 이루는 경우는 모두 몇 번인지 구하시오.
　　　　　　　　　　　　　　　　　밤 12시

6-2. 시곗바늘이 움직인 각도

1 준수가 숙제를 시작한 시각과 끝낸 시각입니다. 준수가 숙제를 하는 동안 시계의 긴바늘과 짧은바늘이 움직인 각도의 차를 구하시오.

시작한 시작	끝낸 시각
오후 5시 24분	오후 6시 4분

2 8시 30분부터 긴바늘이 210° 움직인 후의 시각은 몇 시 몇 분인지 구하시오.

시계의 눈금 사이의 각도는 얼마일까?

큰 눈금

큰 눈금은 12칸이므로
큰 눈금 한 칸은
$360° \div 12 = 30°$입니다.

작은 눈금

큰 눈금 안에는 작은 눈금이
5칸 있으므로 작은 눈금 한 칸은
$30° \div 5 = 6°$입니다.

**최상위
사고력**

진우는 5시 40분에 방 청소를 시작하였습니다. 청소를 끝냈을 때 시계의 긴바늘이 짧은바늘보다 $165°$ 더 움직였다면 진우가 청소를 끝낸 시각은 몇 시 몇 분인지 구하시오.

정답과 풀이 37쪽 ▶

6-3. 시곗바늘이 이루는 각도

1 7시 24분일 때 짧은바늘을 그리려고 합니다. 짧은바늘의 위치를 설명하시오.

2 2시 50분일 때 긴바늘과 짧은바늘이 이루는 작은 쪽의 각의 크기를 구하시오.

긴바늘과 짧은바늘이 이루는 작은 쪽의 각의 크기를 구하는 방법은?

정각부터 지나간 시간을 이용하기	정각까지 남은 시간을 이용하기

$$㉠+㉡=30°×4+5°×2=130°$$
8시부터 20분이 지났습니다.

$$㉠-㉡=30°×5-5°×4=130°$$
9시까지 40분이 남았습니다.

지금 시각이 다음과 같을 때 1시간 50분 후에 긴바늘과 짧은바늘이 이루는 작은 쪽의 각의 크기를 구하시오.

1 지금 시각은 12시입니다. 앞으로 12시간 동안 시계가 정각을 가리킬 때 시계의 긴바늘과 짧은바늘이 이루는 큰 쪽의 각의 크기가 작은 쪽의 각의 크기의 2배가 되는 때는 몇 시인지 모두 구하시오.

2 지금 시각은 6시 25분입니다. 지금부터 긴바늘이 짧은바늘보다 440° 더 움직이면 몇 시 몇 분인지 구하시오.

3 유미는 2시 45분부터 긴바늘이 150° 움직이는 동안 TV를 본 후, 짧은바늘이 20° 움직이는 동안 목욕을 하였습니다. 유미가 목욕을 끝낸 시각은 몇 시 몇 분인지 구하시오.

4 1부터 10까지 적힌 시계가 있습니다. 이 시계는 짧은바늘이 큰 눈금 한 칸을 움직일 때 긴바늘은 시계를 한 바퀴 돈다고 합니다. 지금 시각이 다음과 같을 때 긴바늘과 짧은바늘이 이루는 작은 쪽의 각의 크기를 구하시오.

정답과 풀이 39쪽 ▶

1 ㉠과 ㉡의 각도의 합이 135°일 때 ㉠과 ㉢의 각도의 차를 구하시오.

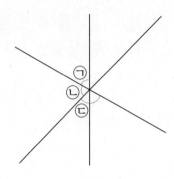

2 각 ㄴㄱㅁ과 각 ㅁㄹㄷ의 크기가 같고, 각 ㄱㄹㅁ과 각 ㅁㄹㄷ의 크기가 같을 때
각 ㄱㅁㄹ의 크기를 구하시오.

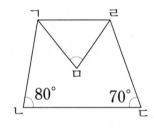

3 도형에서 표시된 8개의 각도의 합을 구하시오.

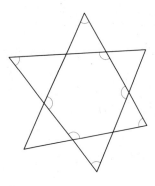

4 성호는 오후 4시 50분에 피아노 연습을 시작해서 오후 6시 10분에 끝마쳤습니다. 성호가 피아노 연습을 하는 동안 짧은바늘이 움직인 각도를 구하시오.

정답과 풀이 40쪽 ▶

5 다음 설명을 읽고 알맞은 시각을 구하시오.

> • 시계의 긴바늘이 큰 눈금 2를 가리키고 있습니다.
> • 긴바늘과 짧은바늘이 이루는 작은 쪽의 각의 크기는 155°입니다.

6 다음과 같이 직사각형 모양의 종이를 양쪽에서 접었습니다. ㉠의 각도를 구하시오.

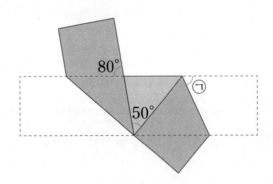

연산

7-1. 간단한 곱셈

1 |보기|는 곱셈을 간단하게 계산하는 여러 가지 방법입니다. 규칙을 찾아 간단하게 계산하시오.

(1) (두 자리 수)×99

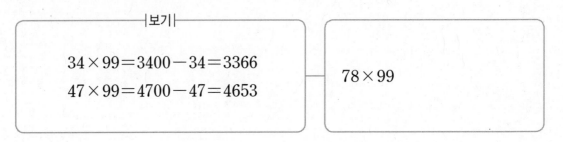

|보기|

$$34 \times 99 = 3400 - 34 = 3366$$
$$47 \times 99 = 4700 - 47 = 4653$$

78×99

(2) 십의 자리 숫자가 같고, 일의 자리 숫자의 합이 10인 두 수의 곱셈

|보기|

```
   4 3        3 6        7 5
 × 4 7      × 3 4      × 7 5
 2 0 2 1    1 2 2 4    5 6 2 5
```

```
   6 2
 × 6 8
```

(3) 일의 자리 숫자가 같고, 십의 자리 숫자의 합이 10인 두 수의 곱셈

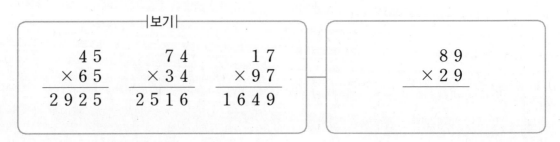

|보기|

```
   4 5        7 4        1 7
 × 6 5      × 3 4      × 9 7
 2 9 2 5    2 5 1 6    1 6 4 9
```

```
   8 9
 × 2 9
```

뇌가 번쩍

몇백을 이용하기	같은 수로 묶기

$$897 \times 6 = (900 - 3) \times 6$$
$$= (900 \times 6) - (3 \times 6)$$
$$= 5400 - 18$$
$$= 5382$$

$$26 \times 31 - 29 \times 26 = 26 \times (31 - 29)$$
$$= 26 \times 2$$
$$= 52$$

식을 간단하게 만들어 분배법칙을 이용합니다.

최상위 사고력

100과 1000을 이용하여 두 수의 곱셈을 간단하게 계산하는 방법입니다. 이와 같은 방법으로 다음을 계산하시오.

- $25 \times 28 = 25 \times 4 \times 7 = 100 \times 7 = 700$
- $24 \times 125 = 3 \times 8 \times 125 = 3 \times 1000 = 3000$

(1) $3 \times 12 \times 25$

(2) $25 \times 125 \times 32$

정답과 풀이 42쪽 ▶

7-2. 여러 가지 곱셈 방법

1 크로스 곱셈 방법입니다. 규칙을 찾아 크로스 곱셈 방법으로 74×98을 계산하시오.

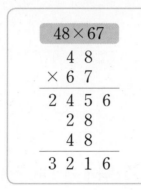

2 수학자 네이피어가 발견한 곱셈 방법입니다. 규칙을 찾아 네이피어 곱셈 방법으로 536×23을 계산하시오.

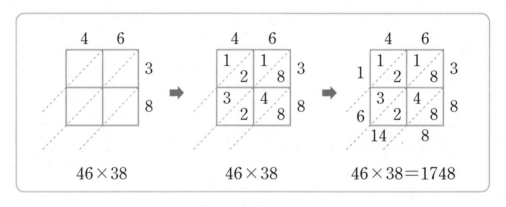

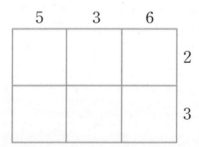

네이피어 곱셈에는 어떤 원리가 숨어 있을까?

| 가로셈 | 세로셈 | 네이피어 곱셈 |

가로셈

37×68

$= (30+7) \times (60+8)$

$= 30 \times 60 + 7 \times 60 + 30 \times 8 + 7 \times 8$

$= 1800 + 420 + 240 + 56$

$= 2516$

세로셈

$$\begin{array}{r} 3\ 7 \\ \times\ 6\ 8 \\ \hline 1\ 8 \\ 4\ 2 \\ 2\ 4 \\ 5\ 6 \\ \hline 2\ 5\ 1\ 6 \end{array}$$

네이피어 곱셈

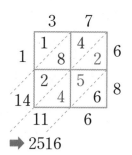

➡ 2516

가로셈, 세로셈과 같이 **분배법**칙이 적용됩니다.

최상위 사고력

러시아 농부들이 사용했던 곱셈 방법입니다. 규칙을 찾아 러시아 농부들의 곱셈 방법으로 다음을 계산하시오.

	13	×	5	=	65
∨	13		5		
	6		10		
∨	3		20		
∨	1		40		
			65		

$5+20+40=65$

	22	×	14	=	308
	22		14		
∨	11		28		
∨	5		56		
	2		112		
∨	1		224		
			308		

$28+56+224=308$

(1) 21×13

(2) 38×72

7-3. 가장 큰 곱, 가장 작은 곱

1 다음은 숫자 3, 4, 6, 8을 한 번씩 사용하여 만든 곱셈식입니다. 곱셈 결과가 큰 것부터 차례로 기호를 쓰시오.

㉠	8 3	㉡	6 3	㉢	8 3
	× 4 6		× 4 8		× 6 4

㉣	4 6	㉤	8 4	㉥	4 8
	× 3 8		× 6 3		× 3 6

⚡ 곱셈식을 계산하지 않고 수의 관계를 이용하여 크기를 비교해 봅니다.

2 4장의 수 카드를 한 번씩 사용하여 두 수의 곱셈식을 만들었습니다. 계산 결과가 가장 클 때와 가장 작을 때의 식이 다음과 같을 때, ㉠에 알맞은 수를 구하시오. (단, 수 카드에 같은 수가 적혀 있을 수도 있습니다.)

뇌가 번쩍

┌─ (두 자리 수) × (두 자리 수)를 가장 작게 만드는 방법은? ────────────────

1 **2** **3** **4**

십의 자리에 가장 작은 수와 두 번째로
작은 수를 써넣습니다.

$$\begin{array}{r} 1\ \square \\ \times\ 2\ \square \end{array}$$

➡

남은 수 중 더 작은 수를 십의 자리의
더 큰 수와 곱해지도록 써넣습니다.

$$\begin{array}{r} 1\ 3 \\ \times\ 2\ 4 \\ \hline 3\ 1\ 2 \end{array}$$

└──────────────────────── 높은 자리에 작은 수의 곱이 들어가도록 수를 써넣습니다.

**최상위
사고력**

수 카드 **2** , **4** , **5** , **6** , **8** 을 한 번씩 모두 사용하여 다음 식의 계산 결과를 가장 크게,
가장 작게 만들려고 합니다. 식을 완성하고 가장 큰 값과 가장 작은 값을 구하시오.

가장 큰 경우

$$\begin{array}{r} \square\ \square\ \square \\ \times\ \quad \square\ \square \end{array}$$

가장 작은 경우

$$\begin{array}{r} \square\ \square\ \square \\ \times\ \quad \square\ \square \end{array}$$

정답과 풀이 44쪽 ▶

1 고대 중국의 한 목수가 문살과 문살이 만나는 점의 개수를 세어 계산하는 곱셈법을 발견하였습니다. 목수의 곱셈법으로 다음을 계산하시오.

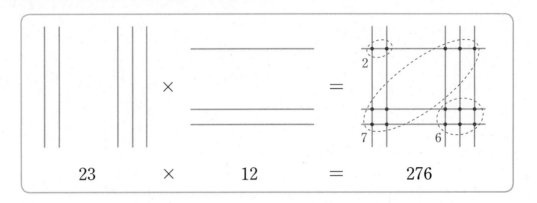

$$23 \qquad \times \qquad 12 \qquad = \qquad 276$$

(1) 14×32 (2) 231×24

2 다음은 고대 이집트에서 사용했던 곱셈 방법입니다. 규칙을 찾아 고대 이집트의 곱셈법으로 47×36을 계산하시오.

$$36 \times 19 = 684$$

36	1 ∨
72	2 ∨
144	4
288	8
576	16 ∨
684	

$1+2+16=19$

$36+72+576=684$

3   간단히 계산하시오.

$$475 \times 380 + 5250 \times 38$$

4

문제풀이

0부터 9까지의 수 중에서 6개의 수를 한 번씩 사용하여 다음과 같은 곱셈식을 만들려고 합니다. 계산 결과가 가장 클 때와 가장 작을 때의 값을 차례로 구하시오.

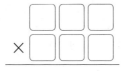

8-1. 몫과 나머지

1 세 자리 수 중에서 73으로 나누었을 때 몫과 나머지가 같은 수는 모두 몇 개입니까?

땀이 뻘뻘

2 다음 나눗셈식에서 몫은 34입니다. ☐ 안에 들어갈 수 있는 수 중 가장 큰 수와 가장 작은 수를 차례로 구하시오.

$$☐ \div 18$$

뇌가 번쩍

나눗셈식을 보고 생각해야 하는 것은?

나눗셈식을 곱셈식으로
고칠 수 있습니다.

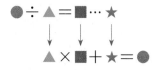

●÷▲=■ … ★

▲×■+★=●

나머지는 나누는 수보다
항상 작습니다.

★<▲

최상위
사고력
A

수 카드를 한 번씩만 사용하여 세 자리 수를 만들려고 합니다. 26으로 나누었을 때, 몫이 32이고 나머지가 생기는 세 자리 수는 모두 몇 개 만들 수 있습니까?

5 2 4 8 6

최상위
사고력
B

어떤 세 자리 수를 29로 나누려고 합니다. 몫과 나머지의 합이 가장 큰 경우의 세 자리 수를 구하시오.

정답과 풀이 48쪽 ▶

8-2. 어떤 수 구하기

1 어떤 수로 50을 나누면 나머지가 4이고, 120을 나누면 나머지가 5입니다. 어떤 수가 될 수 있는 수 중에서 가장 큰 수를 구하시오.

TIP 어떤 수로 나누어떨어지는 수를 구해 봅니다.

딲이 뻘뻘

2 어떤 수를 7로 나누면 나머지가 6이고, 11로 나누면 나머지가 3입니다. 어떤 수가 될 수 있는 수 중에서 가장 작은 수를 구하시오.

두 수로 나누어지는 수를 찾는 방법은?

㉖ 어떤 수를 3으로 나누면 나머지가 1이고, 7로 나누면 나머지가 1입니다.

① 7로 나누었을 때 나머지가 1인 수 찾기

1, 8, 15, 22, 29, 36, 43, 50, 57, 64 ……

② ①에서 찾은 수 중에서 3으로 나누었을 때 나머지가 1인 수 찾기

①, 8, 15, ㉒, 29, 36, ㊸, 50, 57, ㉘ ……

➡ 어떤 수는 1, 22, 43, 64, 85 …… 입니다.

더 큰 수로 나누어지는 수부터 찾습니다.

최상위 사고력

|조건|을 만족하는 어떤 수 중에서 가장 작은 수를 구하시오.

──|조건|──

• 어떤 수를 4로 나누면 나머지는 2입니다.
• 어떤 수를 13으로 나누면 나머지는 5입니다.
• 어떤 수를 9로 나누면 나머지는 3입니다.

정답과 풀이 49쪽 ▶

8-3. 과부족 —— 기준에 넘거나 모자람

1 선생님께서 학생들에게 구슬을 나누어주려고 합니다. 선생님께서 가지고 있는 구슬은 모두 몇 개입니까?

> • 2개씩 나누어주면 9개가 남습니다.
> • 3개씩 나누어주면 남김없이 나누어줄 수 있습니다.

2 서우는 친구들에게 공책을 나누어주려고 합니다. 6권씩 나누어주면 24권이 남고, 10권씩 나누어주면 8권이 모자랍니다. 친구 수와 공책 수를 각각 구하시오.

남거나 모자라는 상황의 문제는 어떻게 풀까?

뇌가 번쩍

(예) 학생들에게 사탕을 5개씩 나누어주면 12개가 남고, 8개씩 나누어주면 6개가 모자랍니다. 학생은 모두 몇 명입니까?

12개

5개

나누어줄 사탕 수

■명

└─ 나누어줄 학생 수

6개

8개

■명

6개

3개

12개

8개

5개

■명

■＝(6＋12)÷3＝6(명)

직사각형의 넓이를 이용합니다.

최상위 사고력

선생님께서 1반과 2반 학생들에게 연필과 지우개를 나누어주었습니다. 1반, 2반 학생은 각각 몇 명입니까?

- 1반 학생들에게 연필을 7자루씩 나누어주면 28자루가 모자라고, 4자루씩 나누어주면 26자루가 남습니다.
- 2반 학생들에게 지우개를 8개씩 나누어주면 50개가 모자라고, 6개씩 나누어주면 4개가 모자랍니다.

1 나눗셈식을 적은 종이의 일부분이 찢어졌습니다. ☐ 안에 알맞은 수 중에서 가장 큰 수를 구하시오.

$$\boxed{} \div 67 = 15 \cdots 3$$

2 디딤 초등학교 학생들이 버스에 나누어 타려고 합니다. 1대에 40명씩 타면 마지막 1대에는 10명이 타게 되고, 1대에 37명씩 타면 모든 버스에 똑같은 학생 수만큼 타게 됩니다. 학생은 모두 몇 명입니까?

3

| 경시대회 기출 |

문제풀이

어떤 수로 539를 나누어야 할 것을 잘못하여 593을 나누었더니 바르게 계산했을 때보다 몫이 9만큼 커졌고, 나머지는 같았습니다. 나머지를 구하시오.

4 |조건|을 만족하는 세 자리 수를 구하시오.

|조건|
• 40으로 나누었을 때 나머지는 26입니다.
• 각 자리 숫자의 합은 18입니다.

정답과 풀이 51쪽 ▶

9-1. 벌레 먹은 셈 —— 계산식을 이루는 숫자의 일부가 지워져 보이지 않을 때, 지워진 숫자를 복원하는 문제

1 □ 안에 알맞은 수를 써넣어 식을 완성하시오.

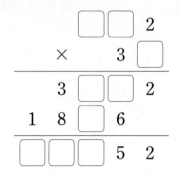

2 □ 안에 1부터 7까지의 수를 한 번씩만 써넣어 식을 완성하시오.

벌레 먹은 곱셈, 나눗셈의 지워진 숫자를 추리하는 방법은?

- 곱셈구구의 각 단의 일의 자리 숫자

	5의 단	2, 4, 6, 8의 단	1, 3, 7, 9의 단
일의 자리 숫자	0, 5	0, 2, 4, 6, 8	1~9

- 곱셈구구의 각 단의 십의 자리 숫자

	1의 단	2의 단	3의 단	4의 단	……	9의 단
십의 자리 숫자	0	0~1	0~2	0~3	……	0~8

곱셈구구에서 각 단의 **특징**을 생각합니다.

최상위 사고력

다음 나눗셈식이 성립하도록 ☐ 안에 알맞은 수를 써넣으시오.

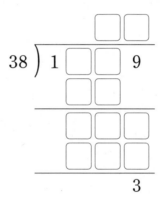

정답과 풀이 53쪽 ▶

1 다음 식에서 같은 문자는 같은 수를, 다른 문자는 다른 수를 나타냅니다. A, B가 나타내는 수를 각각 구하시오.

$$
\begin{array}{r}
4\ 5\ A\ B \\
\times\ \qquad 6 \\
\hline
2\ 7\ B\ B\ B
\end{array}
$$

2 다음 식에서 같은 문자는 같은 수를, 다른 문자는 다른 수를 나타냅니다. A, B, C, D, E, F가 나타내는 수를 각각 구하시오.

$$
\begin{array}{r}
A\ B\ C \\
\times\quad B\ C \\
\hline
D\ B\ C \\
B\ C\ F \\
\hline
E\ A\ B\ C
\end{array}
$$

같은 기호가 있는 곱셈 복면산에서 나올 수 일의 자리 숫자는?

A, B, C는 서로 다른 수를 나타냅니다.

$$\begin{array}{r} A \\ \times\ A \\ \hline B\ \textcircled{C} \end{array}$$

$C = 1, 4, 6, 9$

$$\begin{array}{r} A \\ \times\ A \\ \hline B\ \textcircled{A} \end{array}$$

$A = 5, 6$

$$\begin{array}{r} A \\ \times\ B \\ \hline C\ \textcircled{A} \end{array}$$

$A = 2, 4, 5, 8$

최상위 사고력

다음 식에서 같은 모양은 같은 수를, 다른 모양은 다른 수를 나타냅니다. ☐ 안의 수가 0보다 클 때, 계산 결과로 나올 수 있는 세 자리 수를 모두 구하시오.

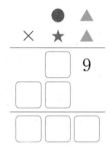

TIP 먼저 ▲가 나타내는 수를 찾아봅니다.

9-3. 마방진 —— 가로, 세로, 대각선의 합이 모두 같도록 수를 배열하는 것

1 1부터 5까지의 수를 한 번씩 모두 써넣어 가로줄과 세로줄에 놓인 세 수의 합이 같도록 만들려고 합니다. 3가지 방법으로 빈칸에 알맞은 수를 써넣으시오. (단, 색칠된 칸에는 서로 다른 수를 써넣어야 합니다.)

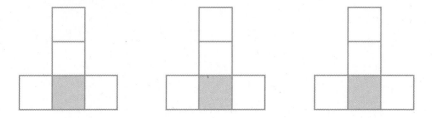

땀이 뻘뻘

2 1부터 6까지의 수를 모두 써넣어 한 줄에 놓인 세 수의 합이 모두 같도록 만들려고 합니다. 4가지 방법으로 빈칸에 알맞은 수를 써넣으시오.

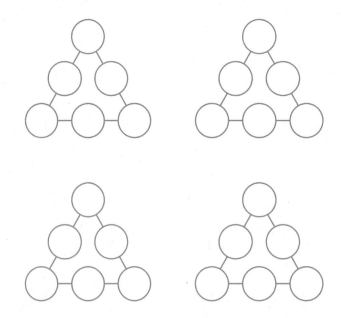

한 줄에 놓인 수의 합이 모두 같은 마방진을 푸는 방법은?

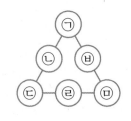

예 한 줄에 놓인 수의 합이 ★이 되도록 1부터 6까지의 수 써넣기

$\underbrace{★+★+★}_{★\times3}=(ㄱ+ㄴ+ㄷ)+(ㄷ+ㄹ+ㅁ)+(ㅁ+ㅂ+ㄱ)$
$=(ㄱ+ㄴ+ㄷ+ㄹ+ㅁ+ㅂ)+(ㄱ+ㄷ+ㅁ)$
$=\underbrace{(1부터\ 6까지\ 수의\ 합)}_{1+2+3+4+5+6=21}+\underbrace{(두\ 번씩\ 더해지는\ 수의\ 합)}_{3으로\ 나누어떨어짐}$

먼저 2번씩 더해지는 수의 합의 성질을 알아봅니다.

○ 안에 1부터 8까지의 수를 한 번씩 써넣어 정육면체의 각 면에 있는 네 수의 합이 모두 같도록 만드시오.

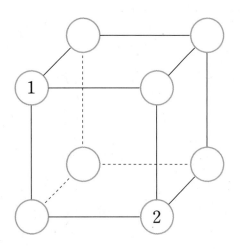

TIP 먼저 한 면에 있는 수들의 합을 구합니다.

1 1부터 7까지의 수를 한 번씩 모두 써넣어 가로줄과 세로줄에 놓인 세 수의 합이 같도록 만들려고 합니다. 3가지 방법으로 빈칸에 알맞은 수를 써넣으시오. (단, 색칠된 칸에는 서로 다른 수를 써넣어야 합니다.)

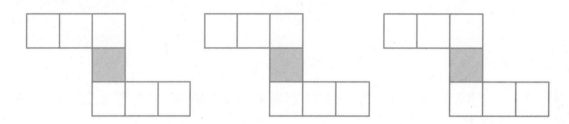

2 ◯ 안에 1부터 10까지의 수를 한 번씩 써넣어 한 줄에 놓인 세 수의 합이 모두 같도록 만들려고 합니다. 한 줄에 놓인 세 수의 합이 가장 작도록 빈칸에 알맞은 수를 써넣으시오.

3

문제풀이

다음 식에서 같은 문자는 같은 수를, 다른 문자는 다른 수를 나타냅니다. A, B, C, D가 나타내는 수를 각각 구하시오.

$$
\begin{array}{r}
\,\text{C 9} \\
\text{AC}\,)\overline{\text{D 8 D}} \\
\underline{\phantom{\text{D}}\text{5 D}} \\
\text{A B D} \\
\underline{\text{A B D}} \\
0
\end{array}
$$

| 경시대회 기출 |

4

문제풀이

다음 식에서 같은 문자는 같은 수를, 다른 문자는 다른 수를 나타냅니다. 세 자리 수 ABC가 될 수 있는 수를 모두 구하시오.

$$
\begin{array}{r}
\text{A B C} \\
\times\ \text{C B A} \\
\hline
5\ \square\ \square\ \square \\
\square\ \square\ \square\ 0 \\
\square\ \square\ \square\ 4 \\
\hline
\square\ \square\ \square\ \square\ \square\ \square
\end{array}
$$

정답과 풀이 58쪽 ▶

1 계산 결과가 가장 크도록 □ 안에 알맞은 수를 써넣으시오.

$$\boxed{}\boxed{}\boxed{} \times 89 = \boxed{}\boxed{}\boxed{}\boxed{}$$

2 수 카드 $\boxed{1}$, $\boxed{4}$, $\boxed{6}$, $\boxed{7}$, $\boxed{8}$ 을 한 번씩 모두 사용하여 다음 식의 계산 결과를 가장 작게 만들려고 합니다. 식을 완성하고 가장 작은 값을 구하시오.

3 다음 곱셈식이 성립하도록 ☐ 안에 알맞은 수를 써넣으시오.

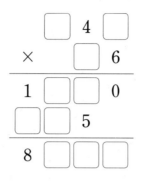

```
      □ 4 □
  ×     □ 6
  ─────────
  1 □ □ 0
  □ □ 5
  ─────────
  8 □ □ □
```

4 진우가 친구들에게 색종이를 나누어주려고 합니다. 8장씩 나누어주면 20장이 남고, 12장씩 나누어주면 4장이 모자랍니다. 친구 수와 색종이 수를 각각 구하시오.

정답과 풀이 60쪽 ▶

5 |조건|을 만족하는 수를 구하시오.

> ┤조건├
> • 네 자리 수입니다.
> • 90으로 나누었을 때 몫과 나머지의 합이 가장 작습니다.
>   (단, 나머지는 0이 아닙니다.)

6 다음 식에서 같은 문자는 같은 수를, 다른 문자는 다른 수를 나타냅니다. A, B, C, D가 나타내는 수를 각각 구하시오. (단, A, B, C, D는 0부터 9까지의 수입니다.)

$$
\begin{array}{r}
\text{A B C D} \\
\times \qquad 9 \\
\hline
\text{D C B A}
\end{array}
$$

정답과 풀이 60쪽 ▶

도형

10-1. 색종이 겹치기

1 색연필 8자루를 쌓아 놓았습니다. 위에서부터 6번째에 있는 색연필은 무슨 색입니까?

땀이 뻘뻘

2 크기가 같은 정사각형 모양의 색종이 8장을 겹쳐 놓았습니다. 가장 아래에 놓인 색종이의 번호를 쓰시오.

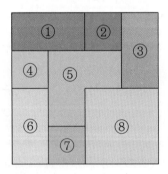

뇌가 번쩍

가장 아래에 놓인 색종이를 찾는 방법은?

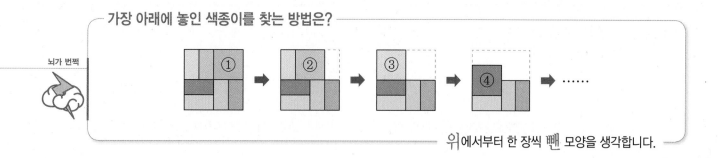

위에서부터 한 장씩 뺀 모양을 생각합니다.

최상위 사고력

크기가 같은 반원 모양의 색종이 9장을 겹쳐 놓았습니다. 위에 놓인 색종이부터 가장 아래에 놓인 색종이까지 번호를 순서대로 쓰시오.

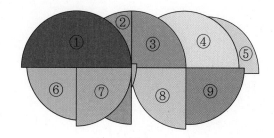

정답과 풀이 62쪽 ▶

10-2. 색종이 접기

1 |보기|와 같이 직사각형 모양의 색종이를 점선을 따라 접은 모양의 테두리를 그리시오.

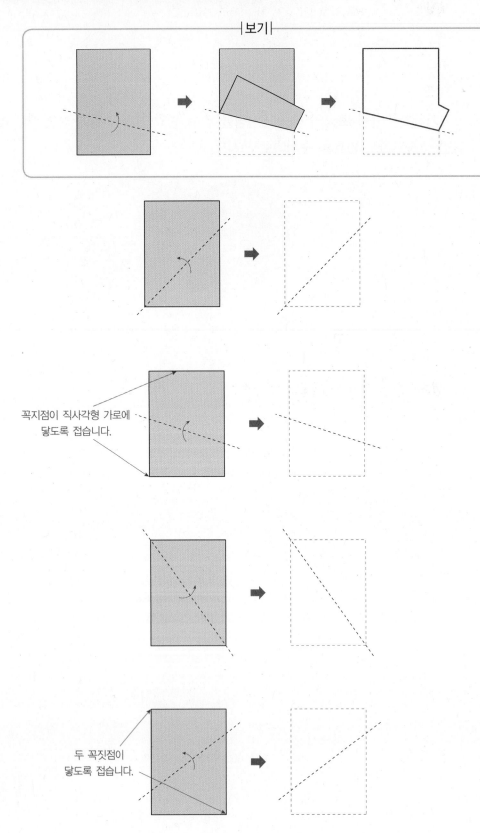

꼭지점이 직사각형 가로에 닿도록 접습니다.

두 꼭짓점이 닿도록 접습니다.

종이가 어떻게 접혀 있는지 찾는 방법은?

원래의 모양을 그립니다. | 접은 선을 찾습니다. | 종이가 펼쳐지는 방법을 찾습니다.

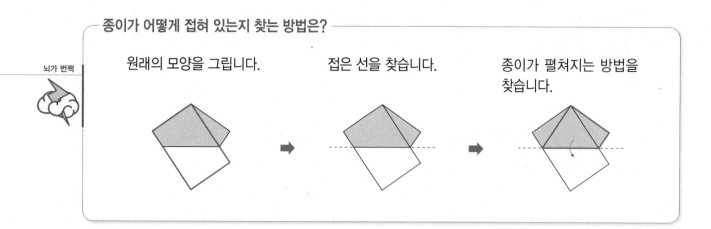

최상위 사고력

다음과 같은 색종이를 한 번만 접어서 만들 수 없는 모양을 모두 고르시오.

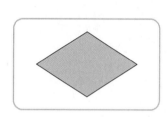

①
②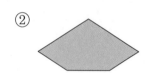
③
④

⑤
⑥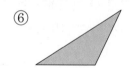
⑦
⑧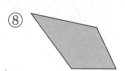

10-3. 색종이 자르기

1 다음과 같이 색종이를 접은 다음 색칠한 부분을 잘라냈습니다. 남은 부분을 펼쳤을 때의 모양을 그리시오.

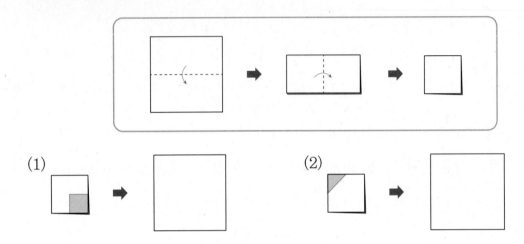

(1) (2)

2 다음과 같이 색종이를 접은 다음 원과 사각형 모양의 구멍을 뚫었습니다. 색종이를 펼쳤을 때의 모양을 그리시오.

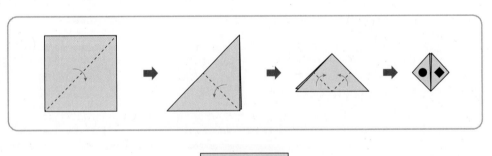

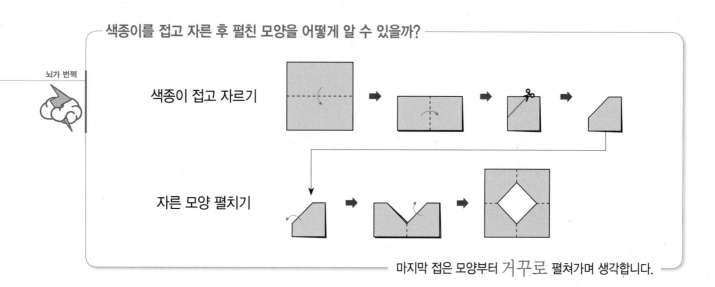

색종이를 접고 자른 후 펼친 모양을 어떻게 알 수 있을까?

색종이 접고 자르기

자른 모양 펼치기

마지막 접은 모양부터 거꾸로 펼쳐가며 생각합니다.

최상위 사고력

색종이를 접은 다음 일부분을 잘라냈더니 다음과 같습니다. ㉠에서 잘라낸 부분을 선으로 나타내시오.

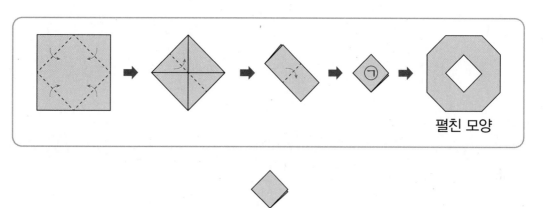

펼친 모양

1 크기가 같은 색종이를 여러 장 겹친 것입니다. 모두 몇 장인지 구하시오. (단, 보이지 않는 색종이는 없습니다.)

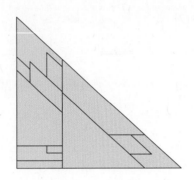

2 왼쪽과 같은 투명 종이를 색칠한 정사각형이 가장 위에 오도록 접었습니다. 색칠한 정사각형에 보이는 선의 모양을 그리시오.

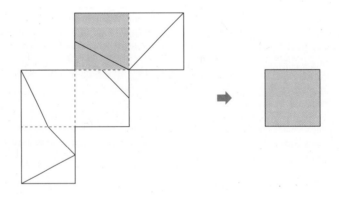

3 다음과 같이 색종이를 접은 다음 색칠한 부분을 잘라냈습니다. 남은 부분을 펼쳤을 때의 모양을 그리시오.

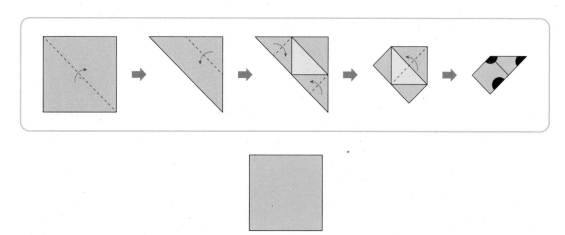

4 정사각형 모양의 색종이를 반으로 완전히 포개어 3번 접었다가 펼쳤을 때 생기는 모양을 점선으로 그리려고 합니다. 색종이를 펼쳤을 때 나올 수 있는 모양을 모두 그리시오.

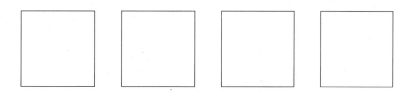

⚡ 접는 방법에 따라 펼쳤을 때 나타나는 선의 모양이 다릅니다.

정답과 풀이 65쪽 ▶

11-1. 도형 돌리기

1 오른쪽 그림에서 도형 가, 나, 다를 찾아 기호를 써넣으시오.

2 정사각형 모양의 바퀴를 정사각형 모양의 잔디밭 주변을 따라 시계 방향으로 굴리려고 합니다. ㉠까지 굴렸을 때 ㉠을 알맞게 색칠하시오. (단, 바퀴는 미끄러지지 않습니다.)

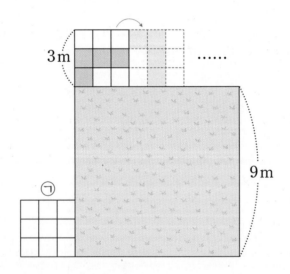

도형 돌리기를 할 때 찾을 수 있는 규칙은?

같은 방향으로 90°만큼 4번 돌린
모양은 처음 모양과 같습니다.

꼭짓점에서는 180°만큼 돌립니다.

**최상위
사고력**

한 변의 길이가 10 cm인 정사각형 가 를 도형의 둘레를 따라 시계 반대 방향으로 ㉠까지 굴렸을 때, 가 와 같은 모양은 처음에 있는 가 를 포함하여 모두 몇 번 나오는지 구하시오.

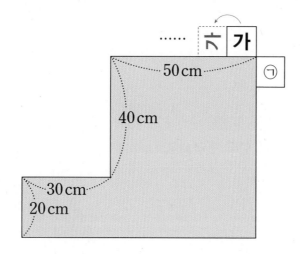

정답과 풀이 66쪽 ▶

11-2. 거울에 비친 모양

1 다음과 같이 거울을 수직으로 세워 ㉠과 ㉡ 방향에서 비추었습니다. 거울에 비친 모양과 종이 위의 모양을 합쳤을 때 만들어지는 모양을 그리시오.

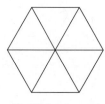

㉠에서 본 모양

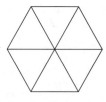

㉡에서 본 모양

2 정삼각형에 거울 1개를 수직으로 세워 거울 속 모양과 종이 위의 모양을 합쳤을 때, 만들 수 없는 모양을 모두 고르시오.

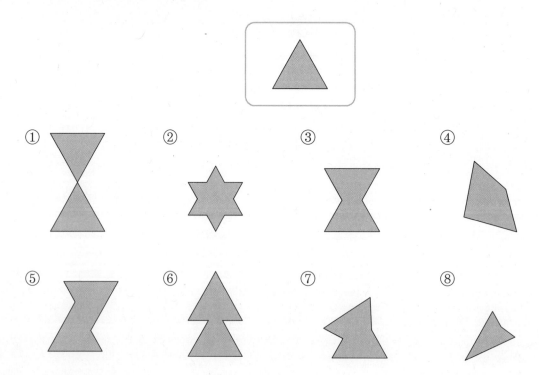

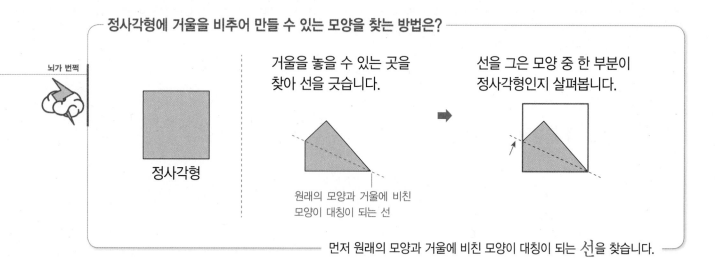

정사각형에 거울을 비추어 만들 수 있는 모양을 찾는 방법은?

뇌가 번쩍

정사각형

거울을 놓을 수 있는 곳을 찾아 선을 긋습니다.

원래의 모양과 거울에 비친 모양이 대칭이 되는 선

선을 그은 모양 중 한 부분이 정사각형인지 살펴봅니다.

먼저 원래의 모양과 거울에 비친 모양이 대칭이 되는 선을 찾습니다.

최상위 사고력 다음은 어떤 알파벳 위에 거울을 수직으로 세워 거울에 비친 모양과 종이 위의 모양을 합쳤을 때 나오는 모양입니다. 어떤 알파벳을 거울에 비친 것인지 고르시오.

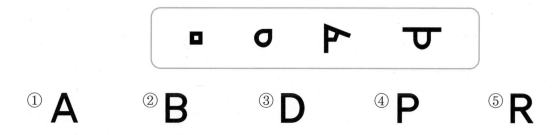

① A   ② B   ③ D   ④ P   ⑤ R

TIP 주어진 알파벳에서 거울이 놓인 위치를 찾아봅니다.

11-3. 글자, 숫자 움직이기

1 다음 글자를 보고 물음에 답하시오.

(1) 180°만큼 돌렸을 때 글자가 되는 것을 모두 쓰시오.

(2) 180°만큼 돌리고 위쪽으로 뒤집었을 때 글자가 되는 것을 모두 쓰시오.

(3) 시계 방향으로 90°만큼 돌리고 오른쪽으로 뒤집었을 때 글자가 되는 것을 모두 쓰시오.

2 0부터 9까지의 디지털 수 카드가 여러 장 있습니다. 이 중에서 3장을 골라 세 자리 수를 만든 다음 위쪽으로 뒤집었을 때, 뒤집힌 수가 세 자리 수가 되는 것은 모두 몇 개입니까?

```
0 1 2 3 4 5 6 7 8 9
```

뒤집거나 돌려도 숫자가 되는 것은?

위쪽으로 뒤집어도 숫자가 되는 것	오른쪽으로 뒤집어도 숫자가 되는 것	180°만큼 돌려도 숫자가 되는 것
012358	01258	0125689

**최상위
사고력**

다음과 같이 덧셈식이 적혀 있습니다. ㉠ 방향과 ㉡ 방향에서 각각 계산했더니 답이 같았을 때, ㉠ 방향에서 본 식을 쓰시오. (단, ●는 ■보다 큽니다.)

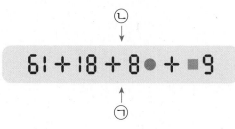

TIP ㉡ 방향에서 본 식은 ㉠ 방향에서 본 식을 180°만큼 돌린 것과 같습니다.

정답과 풀이 69쪽 ▶

최상위 사고력

1 0부터 9까지의 디지털 수 카드가 한 장씩 있습니다. 이 중에서 3장을 골라 만든 세 자리 수의 오른쪽에 거울을 비추었을 때, 거울에 비친 수가 세 자리 수가 되는 것은 모두 몇 개입니까?

2 오른쪽 모양에 거울 1개를 수직으로 세워 거울 속 모양과 종이 위의 모양을 합쳐 만들 수 있는 모양을 모두 고르시오.

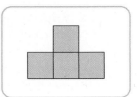

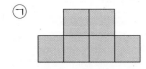

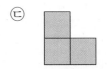

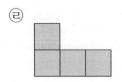

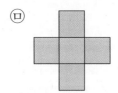

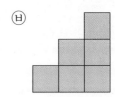

3 크기가 같은 투명한 종이 2장을 돌리기, 뒤집기 하여 완전히 포개어 놓으려고 합니다. 색칠된 칸의 개수가 가장 많을 때는 몇 칸입니까?

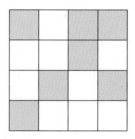 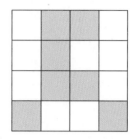

4 종이에 각 자리 숫자가 모두 다른 다섯 자리 수가 디지털 숫자로 적혀 있습니다. 이 종이를 180°만큼 돌렸더니 원래 적혀 있던 수보다 53262만큼 커졌습니다. 원래 적혀 있던 수가 될 수 있는 수를 모두 구하시오.

문제풀이

12-1. 같은 도형 붙이기

1 크기가 같은 정사각형을 길이가 같은 변끼리 이어 붙여서 만든 도형을 폴리오미노 (polyomino)라고 합니다. 물음에 답하시오.

(1) 정사각형 4개를 이어 붙여 만든 테트로미노를 모두 그리시오. (단, 돌리거나 뒤집 어서 같은 모양은 한 가지로 봅니다.)

(2) 정사각형 5개를 이어 붙여 만든 펜토미노를 모두 그리시오. (단, 돌리거나 뒤집어 서 같은 모양은 한 가지로 봅니다.)

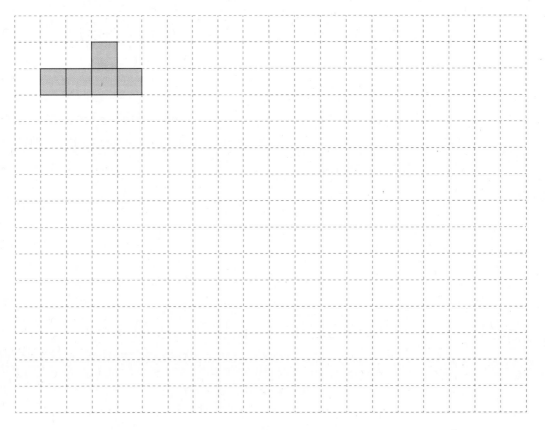

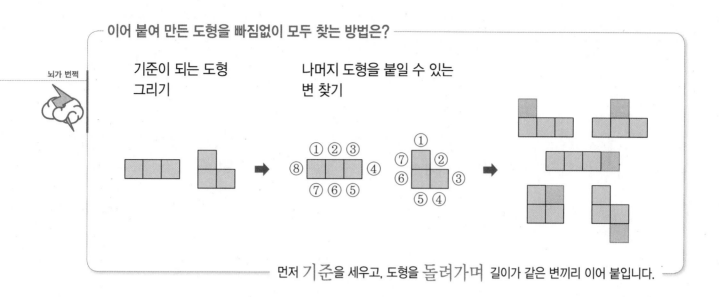

이어 붙여 만든 도형을 빠짐없이 모두 찾는 방법은?

뇌가 번쩍

기준이 되는 도형
그리기

나머지 도형을 붙일 수 있는
변 찾기

먼저 기준을 세우고, 도형을 돌려가며 길이가 같은 변끼리 이어 붙입니다.

**최상위
사고력**

크기가 같은 정삼각형을 길이가 같은 변끼리 이어 붙여서 만든 도형을 폴리아몬드 (polyamond)라고 합니다. 정삼각형 5개를 이어 붙여 만든 펜티아몬드는 모두 몇 가지입니까? (단, 돌리거나 뒤집어서 같은 모양은 한 가지로 봅니다.)

TIP 먼저 삼각형 4개를 이어 붙여 만들 수 있는 모양을 모두 찾아봅니다.

12-2. 서로 다른 도형 붙이기

1 정삼각형 2개와 이 정삼각형 3개를 이어 붙여 만든 사각형 1개가 있습니다. 이 도형 3개를 길이가 같은 변끼리 이어 붙여 만들 수 있는 서로 다른 모양은 모두 몇 가지입니까?

(단, 돌리거나 뒤집어서 같은 모양은 한 가지로 봅니다.)

2 변의 길이가 같은 정사각형 2개와 정삼각형 2개를 이어 붙여 만들 수 있는 서로 다른 모양은 모두 몇 가지입니까? (단, 정사각형끼리는 반드시 이어 붙여야 하고, 돌리거나 뒤집어서 같은 모양은 한 가지로 봅니다.)

서로 다른 도형 붙이기를 효율적으로 하는 방법은?

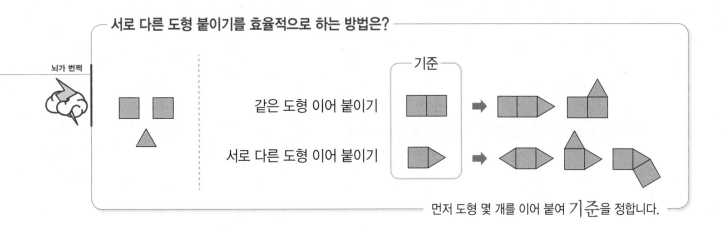

먼저 도형 몇 개를 이어 붙여 **기준**을 정합니다.

**최상위
사고력**

직각이등변삼각형 2개와 이 직각이등변삼각형 2개를 이어 붙여 만든 사각형 1개가 있습니다. 이 도형 3개를 길이가 같은 변끼리 이어 붙여 만들 수 있는 서로 다른 모양을 모두 그리시오.

(단, 돌리거나 뒤집어서 같은 모양은 한 가지로 봅니다.)

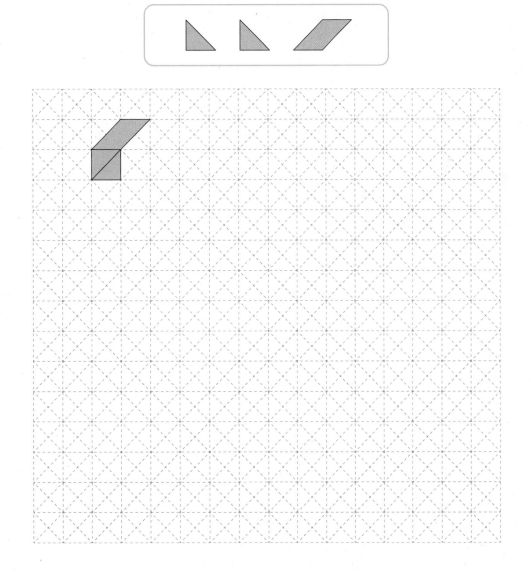

정답과 풀이 74쪽 ▶

12-3. 도형 나누기

1 ●과 ▲이 하나씩만 포함되도록 모양과 크기가 같은 4조각으로 나누시오.

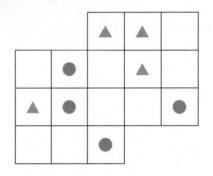

TIP 먼저 1조각에 포함되는 작은 정사각형의 개수를 구해 봅니다.

2 다음 도형과 모양이 같은 4개의 작은 조각으로 나누시오.

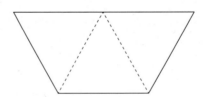

원래의 모양과 똑같은 4개의 작은 조각으로 나누는 방법은?

뇌가 번쩍

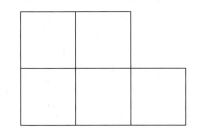

모양을 작은 단위의 도형으로 나누어 생각합니다.

최상위 사고력

다음 도형을 크기와 모양이 같은 4조각과 3조각으로 각각 나누시오.

(1) 4조각

(2) 3조각

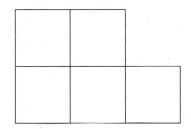

정답과 풀이 75쪽 ▶

| 경시대회 기출 |

1 다음 도형을 각 조각의 수의 합이 같아지도록 모양과 크기가 같은 4조각으로 나누시오.

3	7	5	3
5	2	4	9
9	1	3	6
6	4	8	1

2 다음 도형에서 작은 직각삼각형 4개를 이어 붙여 만든 모양을 찾으려고 합니다. 찾을 수 있는 서로 다른 모양은 모두 몇 가지입니까? (단, 돌리거나 뒤집어서 같은 모양은 한 가지로 봅니다.)

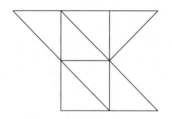

3

크기가 같은 정사각형 4개 중에서 1개만 색칠되어 있습니다. 정사각형 4개를 이어 붙여 만들 수 있는 서로 다른 모양은 모두 몇 가지입니까? (단, 돌리거나 뒤집어서 같은 모양은 한 가지로 보고, 모양은 같지만 색칠된 부분이 다르면 다른 것으로 봅니다.)

4

정삼각형 6개를 이어 붙여 만든 헥시아몬드는 모두 몇 가지입니까? (단, 돌리거나 뒤집어서 같은 모양은 한 가지로 봅니다.)

1 크기가 같은 정사각형 모양의 색종이 8장을 겹쳐 놓았습니다. 가장 아래에 놓인 색종이의 번호를 쓰시오.

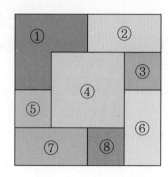

2 민우가 철봉에 거꾸로 매달려서 시계를 보았더니 다음과 같았습니다. 전자시계는 24시까지 표시된다고 할 때 지금 시각은 몇 시 몇 분입니까?

$$15:60$$

3 다음과 같은 색종이를 한 번만 접어서 만들 수 없는 모양을 모두 고르시오.

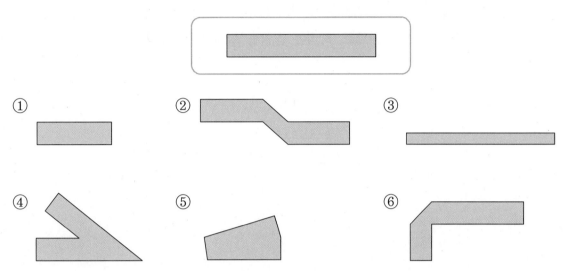

4 다음 도형과 모양이 같은 4개의 작은 조각으로 나누시오.

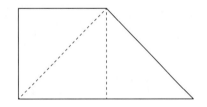

5 |보기|에서 오른쪽 모양은 왼쪽 모양의 점선 위에 거울을 수직으로 세워 화살표 방향에서 비추었을 때, 거울에 비친 모양과 종이 위의 모양이 합쳐진 모양입니다. |보기|와 같이 왼쪽 모양에 거울을 놓은 위치는 점선으로, 바라본 방향은 화살표로 나타내시오.

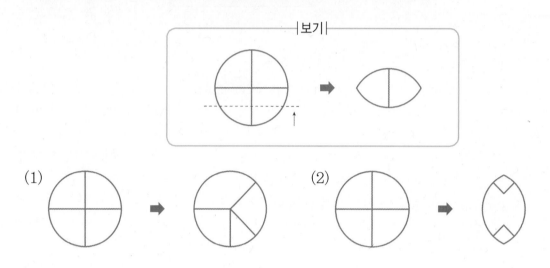

6 크기가 같은 정육각형 4개를 이어 붙여 만들 수 있는 서로 다른 모양은 모두 몇 가지입니까?
(단, 돌리거나 뒤집어서 같은 모양은 한 가지로 봅니다.)

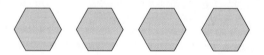

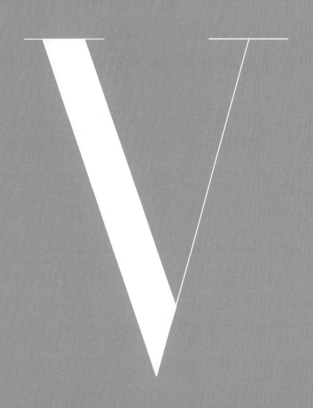

규칙

13-1. 수열 완성하기

1 규칙에 따라 수를 나열했습니다. □ 안에 알맞은 수를 써넣으시오.

(1) 2, ☐, 10, 14, 18, 22 ……

(2) 3, 6, 9, 2, 3, ☐, 9, 2, 3, 6 ……

(3) 2, 3, 5, 8, 12, ☐, ☐ ……

(4) 1, 2, 5, 14, 41, ☐, 365 ……

땀이 뻘뻘

2 |보기|와 같은 규칙으로 수를 나열했습니다. □ 안에 알맞은 수를 써넣으시오.

┌─────────────── |보기| ───────────────┐
│   1, 2, 3, 5, 8, 13, 21, 34 ……   │
└─────────────────────────────────────┘

3, ☐, ☐, ☐, 18, ☐ ……

수열의 규칙은 어떻게 찾을까?

① 수 묶음

1, 1, 2, 1, 2, 3 ……

⬇

(1), (1, 2), (1, 2, 3) ……

② 이웃한 수

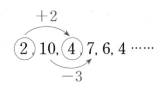

2, 5, 8, 11, 14, 17 ……
+3 +3

③ 앞의 두 수와 그 다음 수

$1 + 1 = 2$

0, 1, 1, 2, 3, 5 ……

$0 + 1 = 1$

④ 짝수 번째 수와 홀수 번째 수

+2

②, 10, ④, 7, 6, 4 ……

−3

나열된 수들 사이의 관계를 살펴봅니다.

최상위 사고력

규칙에 따라 수를 나열했습니다. 알맞지 않은 수 1개를 찾아 바르게 고치시오.

(1) 1, 2, 4, 10, 16, 32 ……

(2) 2, 3, 5, 8, 13, 17, 23 ……

(3) 1, 2, 3, 4, 3, 6, 7, 2, 9, 4, 11, 6 ……

13-2. 몇 번째 수 구하기

1 규칙에 따라 수를 나열했습니다. 25번째 수가 더 큰 것의 기호를 쓰고, 얼마만큼 더 큰지 구하시오.

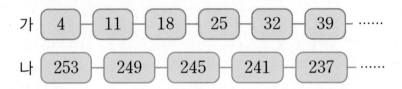

가 | 4 – 11 – 18 – 25 – 32 – 39 – ……

나 | 253 – 249 – 245 – 241 – 237 – ……

2 규칙에 따라 수를 나열했습니다. 200은 몇 번째 수인지 모두 구하시오.

11, 18, 20, 25, 29, 32, 38, 39, 47 ……

뇌가 번쩍

차가 일정하게 커지거나 작아지는 수열에서 ■번째 수를 구하는 방법은?

$$2 \quad 5 \quad 8 \quad 11 \quad 14 \quad 17 \cdots\cdots$$
$$+3 \quad +3 \quad +3$$

(첫 번째 수)$=2$
(두 번째 수)$=2+3\times1$
(세 번째 수)$=2+3\times2$
(네 번째 수)$=2+3\times3$

$$\vdots$$

(■번째 수)$=2+3\times(■-1)$

첫 번째 수 ┘   └ 일정하게 더하는 수

(첫 번째 수)$+$(일정하게 더하는 수)$\times(■-1)$로 구합니다.

최상위 사고력

규칙에 따라 분수를 나열했습니다. $\dfrac{8}{13}$은 몇 번째 수인지 구하시오.

$$\frac{1}{2}, \ \frac{1}{4}, \ \frac{2}{3}, \ \frac{1}{6}, \ \frac{2}{5}, \ \frac{3}{4}, \ \frac{1}{8}, \ \frac{2}{7}, \ \frac{3}{6}, \ \frac{4}{5}, \ \frac{1}{10}, \ \frac{2}{9}, \ \frac{3}{8}, \ \frac{4}{7}, \ \frac{5}{6} \cdots\cdots$$

13-3. 수열의 합 구하기

1 규칙에 따라 수를 나열했습니다. 다음을 계산하시오.

$$4+7+10+13+16+\cdots\cdots+100$$

2 곱셈구구표에서 계산 결과로 나오는 모든 수의 합을 구하시오.

×	1	2	3	4	5	6	7	8	9
1									
2									
3									
4									
5									
6									
7									
8									
9									

연속한 수의 합을 구하는 방법은?

㉇ $2+4+6+8+10+12+14+16$

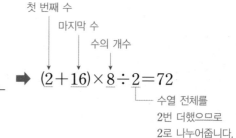

$$\begin{array}{c}2+\ 4+\ 6+\ 8+10+12+14+16\\ +)16+14+12+10+\ 8+\ 6+\ 4+\ 2\\ \hline 18+18+18+18+18+18+18+18\end{array}$$

첫 번째 수
마지막 수
수의 개수

➡ $(\underline{2}+\underline{16})\times\underline{8}\div 2=72$

└ 수열 전체를
2번 더했으므로
2로 나누어줍니다.

{(첫 번째 수)+(마지막 수)} × (수의 개수) ÷ 2로 구합니다.

최상위
사고력
A

100부터 200까지의 수 중에서 7로 나누어떨어지는 모든 수의 합을 구하시오.

최상위
사고력
B

1080을 연속된 20개의 홀수의 합으로 나타낼 때, 가장 작은 수와 가장 큰 수를 차례로 구하시오.

정답과 풀이 83쪽 ▶

1 어떤 수부터 6씩 커지는 수를 나열했습니다. 80번째 수가 500일 때 53번째 수를 구하시오.

2 규칙에 따라 수를 나열했습니다. 65번째 수와 80번째 수의 차를 구하시오.

> 0, 7, 4, 1, 8, 5, 2, 9, 6, 3, 0 ……

3 규칙에 따라 수를 나열했습니다. 10이 처음으로 나오는 것은 몇 번째입니까?

문제풀이

> 50, 50, 49, 50, 49, 48, 50, 49 ······

| 경시대회 기출 |

4 다음과 같은 규칙으로 225개의 수를 나열했습니다. 1과 2 중에서 어느 것이 몇 개 더 많은지 구하시오.

문제풀이

> 1, 2, 2, 1, 1, 1, 2, 2, 2, 2, 1, 1, 1, 1, 1, 2 ······

14-1. 계단식 배열

1 곱셈식에서 규칙을 찾아 495×495를 계산하시오.

$$5 \times 5 = 25$$
$$15 \times 15 = 225$$
$$25 \times 25 = 625$$
$$35 \times 35 = 1225$$
$$\vdots$$

2 덧셈식에서 규칙을 찾아 물음에 답하시오.

$$1 = 1$$
$$1 + 3 = 4$$
$$1 + 3 + 5 = 9$$
$$1 + 3 + 5 + 7 = 16$$
$$\vdots$$
$$1 + 3 + 5 + 7 + \cdots\cdots + 49 = \boxed{}$$

(1) ☐ 안에 알맞은 수를 구하시오.

(2) 규칙을 이용하여 다음을 간단히 계산하시오.

$$71 + 73 + 75 + \cdots\cdots + 99$$

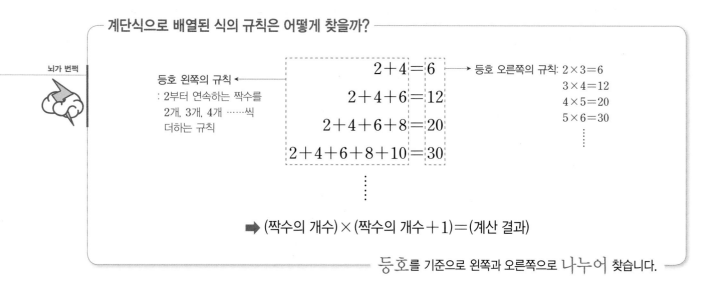

등호를 기준으로 왼쪽과 오른쪽으로 나누어 찾습니다.

최상위 사고력

곱셈식에서 규칙을 찾아 □ 안에 알맞은 수를 써넣으시오.

$$8 \times 99 = 792$$
$$26 \times 999 = 25974$$
$$754 \times 99999 = 75399246$$
$$4682 \times 999999 = 4681995318$$
$$\vdots$$
$$67209 \times 99999999 = \boxed{}$$

정답과 풀이 86쪽 ▶

14-2. 열이 있는 배열

1 6명의 학생들이 ㉠, ㉡, ㉢, ㉣, ㉤, ㉥에 앉아 수 부르기 게임을 하려고 합니다. ㉠에서부터 시작하여 시계 방향으로 1부터 차례로 수를 부르고, 100을 부르는 사람이 이깁니다. 이기는 자리의 기호를 쓰시오.

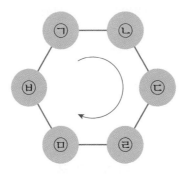

2 두 가지 규칙에 따라 수를 배열한 것입니다. 가~사 중에서 130이 있는 줄의 기호를 모두 쓰시오.

가	1	6	7	12	13	……
나	2	5	8	11	14	……
다	3	4	9	10	15	……

라	마	바	사
1	2	3	4
8	7	6	5
9	10	11	12
16	15	14	13
17	18	19	20
……	……	……	……

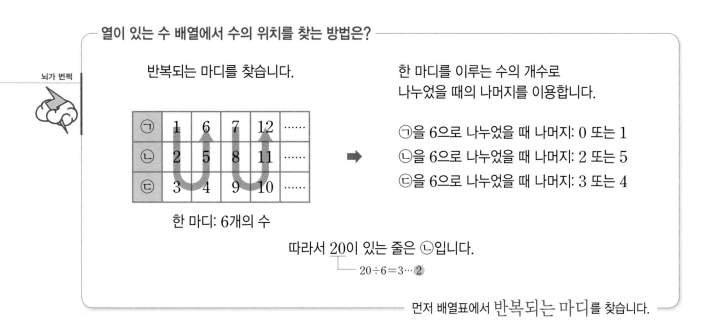

열이 있는 수 배열에서 수의 위치를 찾는 방법은?

반복되는 마디를 찾습니다.

㉠	1	6	7	12	……
㉡	2	5	8	11	……
㉢	3	4	9	10	……

한 마디: 6개의 수

한 마디를 이루는 수의 개수로
나누었을 때의 나머지를 이용합니다.

㉠을 6으로 나누었을 때 나머지: 0 또는 1

㉡을 6으로 나누었을 때 나머지: 2 또는 5

㉢을 6으로 나누었을 때 나머지: 3 또는 4

따라서 20이 있는 줄은 ㉡입니다.
$20 \div 6 = 3 \cdots \textbf{2}$

먼저 배열표에서 반복되는 마디를 찾습니다.

**최상위
사고력**

다음과 같이 손가락으로 수를 세고 있습니다. 4000은 어느 손의 어떤 손가락으로 세는지 구하시오.

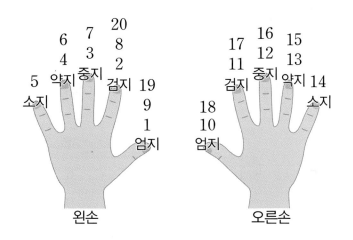

14-3. 행과 열이 있는 배열

1 다음과 같은 규칙으로 수를 나열할 때, 10행의 8번째 수를 구하시오.

$$
\begin{array}{llll}
& 1 & & \cdots\cdots\text{1행} \\
& 2\ \ 3 & & \cdots\cdots\text{2행} \\
& 4\ \ 5\ \ 6 & & \cdots\cdots\text{3행} \\
7\ \ 8\ \ 9\ \ 10 & & \cdots\cdots\text{4행} \\
\vdots
\end{array}
$$

2 수 배열표의 규칙을 찾아 11행 3열, 9행 5열, 3행 10열에 알맞은 수를 차례로 구하시오.

	1열	2열	3열	4열	
1행	1	3	6	10	
2행	2	5	9	14	
3행	4	8	13	19	······
4행	7	12	18	25	

열과 행이 있는 수 배열에서 규칙을 찾는 방법은?

뇌가 번쩍

전체적으로 수가 쓰인 규칙을 찾고

	1열	2열	3열	4열
1행	1	4	9	16
2행	2	3	8	15
3행	5	6	7	14	……
4행	10	11	12	13

부분적으로 수가 쓰인 규칙을 찾습니다.

	1열	2열	3열	4열
1행	1	4	9	16
2행	2	3	8	15
3행	5	6	7	14	……
4행	10	11	12	13

더하는 수가 3, 5, 7 ……씩 커지는 규칙

더하는 수가 2, 4, 6 ……씩 커지는 규칙

더하는 수가 1, 3, 5 ……씩 커지는 규칙

전체와 **부분**으로 수가 쓰인 규칙을 찾습니다.

최상위 사고력

다음과 같은 규칙으로 수를 배열했습니다. 6은 3행 2열의 수이므로 (3, 2)라고 나타낼 때, 같은 방법으로 108을 나타내시오.

	1열	2열	3열	4열	5열
1행	1	2	9	10	25
2행	4	3	8	11	24
3행	5	6	7	12	23	……
4행	16	15	14	13	22
5행	17	18	19	20	21

정답과 풀이 88쪽 ▶

1

면이 12개인 입체도형

각 면에 수가 일정한 규칙으로 적혀있는 **십이면체** 주사위 6개가 있습니다. 50, 76, 91이 적혀 있는 주사위를 제외하고 나머지 주사위를 던졌을 때, 나올 수 있는 수들의 합으로 가장 큰 값과 가장 작은 값을 차례로 구하시오.

21	22	23	24	25	26
27	28	29	30	31	32
33	34	⋮	⋮	⋮	⋮
⋮	⋮				

2

다음 규칙을 보고 10행까지 배열된 모든 수의 합을 구하시오.

```
                1                ……… 1행
              1 2 1              ……… 2행
            1 2 3 2 1            ……… 3행
          1 2 3 4 3 2 1          ……… 4행
        1 2 3 4 5 4 3 2 1        ……… 5행
                ⋮
```

3 수 배열표에서 22는 1에서 위로 2칸, 왼쪽으로 1칸 간 곳에 있습니다. 120은 1에서 어느 방향으로 얼마만큼 간 곳에 있는지 구하시오.

		21	22	23	24	25	26
		20	7	8	9	10	27
	⋮	19	6	1	2	11	28
	39	18	5	4	3	12	29
	38	17	16	15	14	13	30
	37	36	35	34	33	32	31

| 경시대회 기출 |

4 규칙에 따라 작은 정사각형을 1칸씩 색칠하려고 합니다. 2번째 색칠한 칸을 (가, 2)라고 나타낼 때, 같은 방법으로 130번째에 색칠한 칸을 나타내시오.

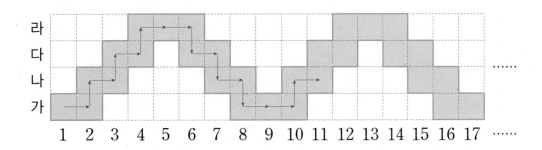

15-1. 모양의 개수

1 다음과 같은 규칙에 따라 성냥개비로 모양을 만들려고 합니다. 9번째 모양을 만드는데 필요한 성냥개비의 개수를 구하시오.

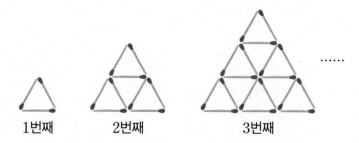

1번째   2번째   3번째

2 다음과 같은 규칙에 따라 점을 이어 모양을 만들려고 합니다. 10번째 모양을 만드는데 필요한 점의 개수를 구하시오.

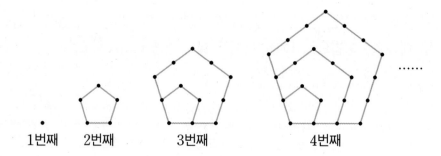

1번째 2번째   3번째   4번째

모양의 개수가 나타내는 규칙은 어떻게 찾을까?

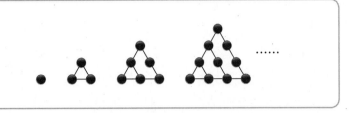

방법1 식으로 나타내어 규칙 찾기

1, 1+2, 1+2+3, 1+2+3+4 ……

방법2 개수를 세어 규칙 찾기

1   3   6   10   15 ……
  +2 +3 +4

➡ 더하는 수가 2부터 1씩 커지는 규칙입니다.

식 또는 수로 나타내어 규칙을 찾습니다.

최상위 사고력

다음과 같은 규칙에 따라 바둑돌을 놓으려고 합니다. 바둑돌의 수와 900과의 차가 가장 작을 때는 몇 번째입니까?

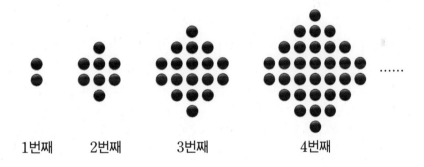

1번째   2번째   3번째   4번째

139 V 규칙

정답과 풀이 91쪽 ▶

15-2. 프랙탈 —— 작은 구조가 전체 구조와 닮은 형태로 끝없이 되풀이되는 구조

1 검은색 삼각형을 4등분하여 가운데 삼각형을 잘라서 버리는 규칙으로 만들어지는 삼각형을 시어핀스키 삼각형이라고 합니다. 다음 물음에 답하시오.

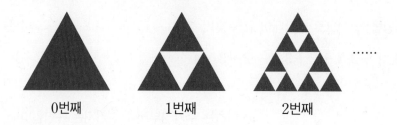

0번째   1번째   2번째

(1) 3번째 시어핀스키 삼각형을 그려 보시오.

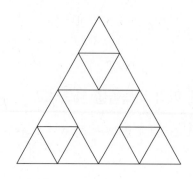

(2) 4번째 시어핀스키 삼각형에서 검은색 삼각형은 모두 몇 개입니까?

다음과 같이 일정한 규칙에 따라 나뭇가지의 수가 증가하는 나무가 있습니다. 6번째 나무의 나뭇가지는 모두 몇 개입니까?

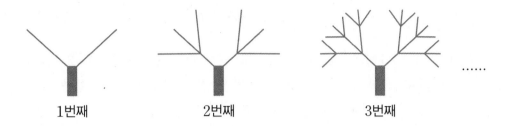

1번째   2번째   3번째   ......

다음과 같이 일정한 규칙에 따라 도형을 그릴 때, 5번째 도형의 변은 모두 몇 개입니까?

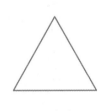         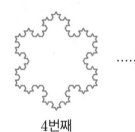   ......

1번째   2번째   3번째   4번째

TIP 도형 ___∕ 에는 변이 2개 있습니다.

15-3. 피보나치 수열

1 아기 토끼 1쌍은 1달 후에 어른 토끼가 되고, 어른 토끼 1쌍은 1달 후부터 아기 토끼 1쌍을 매달 낳습니다. 1월에 아기 토끼 한 쌍이 태어났을 때, 같은 해 7월에는 토끼가 몇 쌍이 되겠습니까? (단, 토끼는 한 마리도 죽지 않았습니다.)

2 6칸짜리 사다리를 한 번에 1칸 또는 2칸씩 올라갈 수 있을 때, 사다리를 끝까지 올라가는 방법은 모두 몇 가지입니까?

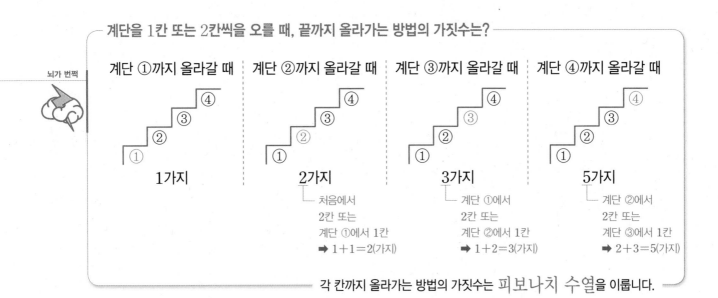

계단을 1칸 또는 2칸씩을 오를 때, 끝까지 올라가는 방법의 가짓수는?

| 계단 ①까지 올라갈 때 | 계단 ②까지 올라갈 때 | 계단 ③까지 올라갈 때 | 계단 ④까지 올라갈 때 |

1가지

2가지
처음에서 2칸 또는 계단 ①에서 1칸
➡ 1+1=2(가지)

3가지
계단 ①에서 2칸 또는 계단 ②에서 1칸
➡ 1+2=3(가지)

5가지
계단 ②에서 2칸 또는 계단 ③에서 1칸
➡ 2+3=5(가지)

각 칸까지 올라가는 방법의 가짓수는 피보나치 수열을 이룹니다.

최상위 사고력

개미가 1번 방에서 8번 방으로 이동하려고 합니다. 작은 번호 방에서 이웃한 큰 번호 방으로만 이동할 수 있고 되돌아갈 수 없을 때, 이동하는 방법은 모두 몇 가지입니까?

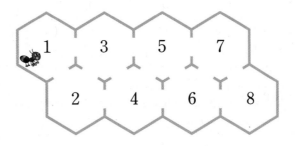

정답과 풀이 94쪽 ▶

1 다음과 같은 규칙으로 정삼각형 종이를 잘라나갑니다. 95번째에 찾을 수 있는 정삼각형 조각은 모두 몇 개입니까?

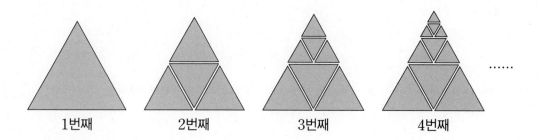

| 1번째 | 2번째 | 3번째 | 4번째 | ······ |

| 경시대회 기출 |

2 일정한 규칙으로 바둑돌을 늘어놓았습니다. 10행까지 놓을 때 흰 바둑돌과 검은 바둑돌 중 어느 바둑돌이 몇 개 더 많습니까?

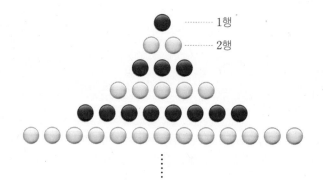

1행
2행

3

다음과 같이 육각형 모양으로 배열된 점의 개수를 육각수라고 합니다. 점 200개로 만들 수 있는 가장 큰 육각수는 몇 번째입니까?

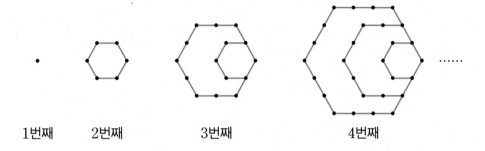

1번째　　　2번째　　　3번째　　　　　4번째

4

두 종류의 타일을 사용하여 8칸짜리 바닥을 채우려고 합니다. 바닥을 채울 수 있는 방법은 모두 몇 가지입니까?

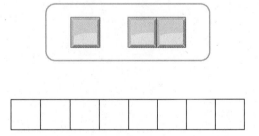

1 1에서 출발하여 시계 방향으로 3칸씩 뛰어 셀 때, 83번째 수를 구하시오.

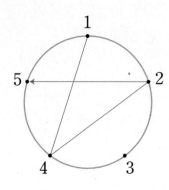

2 다음과 같은 규칙에 따라 성냥개비로 모양을 만들려고 합니다. 성냥개비 100개로 만들 수 있는 가장 큰 모양은 몇 번째입니까?

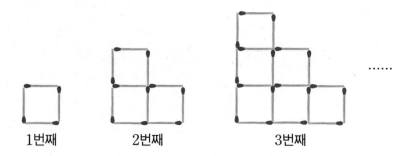

1번째   2번째   3번째

3 규칙에 따라 나열된 수들을 묶은 것입니다. 8번째 묶음에서 네 번째 수를 구하시오.

$$(1), (2, 3), (4, 5, 6), (7, 8, 9, 10), (11, 12, 13, 14, 15) \cdots\cdots$$

4 7칸짜리 계단을 한 번에 1칸 또는 2칸씩 오르려고 합니다. 계단의 꼭대기까지 올라가는 방법은 모두 몇 가지입니까?

정답과 풀이 97쪽 ▶

5 다음과 같은 정사각형 종이를 4등분하여 한 조각을 잘라냅니다. 남은 정사각형도 같은 방법으로 4등분하여 한 조각을 버리는 과정을 반복했을 때, 7번째에 남아 있는 정사각형은 몇 개입니까?

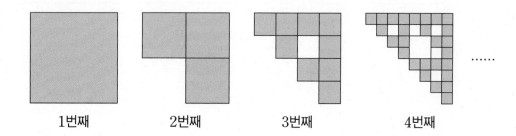

1번째   2번째   3번째   4번째   ‥‥‥

6 다음과 같은 규칙으로 수를 배열했습니다. 10행 8열의 수를 구하시오.

	1열	2열	3열	4열	5열
1행	1	4	5	16	17
2행	2	3	6	15	18
3행	9	8	7	14	19
4행	10	11	12	13	20
5행	25	24	23	22	21

최상위
연산 은
수학 이다.

1~6학년 (학기용)

단순 계산이 아닌
수학 원리를
알아가는
수학 공부의 첫 걸음,
같아 보이지만
완전히 다른 연산!

디딤돌

초등수학은 디딤돌!

아이의 학습 능력과 학습 목표에 따라
맞춤 선택을 할 수 있도록
다양한 교재를 제공합니다.

문제해결력 강화 문제유형, 응용

개념 다지기 원리, 기본

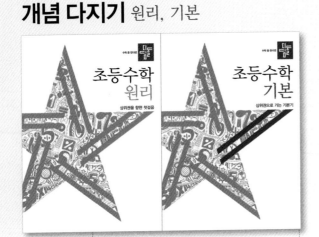

연산력 강화
최상위 연산

개념＋문제해결력 강화를 동시에
기본＋유형, 기본＋응용

정답과 풀이

상위권의 기준

최상위 사고력

초등 4A

수학 좀 한다면

디딤돌

I 수

최상위 사고력 **1** 큰 수 | 10~17쪽

1-1. 수 나타내기

1 (1) (2)

2 202=‖ ‖, 20002=‖ ‖,
예 202와 20002를 정확하게 나타내기 어렵습니다.

최상위 사고력 453,

1-2. 자릿값 이용하기

1 10배
2 1721109장

최상위 사고력 (1) 946조 km (2) 3번

1-3. 조건과 수

1 9990004
2 42031

최상위 사고력 967824513

최상위 사고력

1 800200000000
2 48371058
3 11개
4 54980132

최상위 사고력 **2** 여러 가지 수 만들기 | 18~25쪽

2-1. 오름수와 내림수

1 (1) 예 높은 자리로 갈수록 숫자의 크기가 작아집니다.
(2) 5678, 5679, 5689, 5789, 6789

2 120개

최상위 사고력 (1) 34개 (2) 359

2-2. 몇 번째 수 만들기

1 4536, 4563, 4635, 4653, 5346, 5364, 5436

2 74번째

최상위 사고력 (1) 58013 (2) 18053

2-3. 대칭수

1 99개

2 (1) ① 2 ② 1 ③ 3 ④ 4 ⑤ 1 ⑥ 3
(2) 예 각 자리 숫자의 합에 받아올림이 없습니다.

최상위 사고력 8번

최상위 사고력

1 (1) $7 \xrightarrow{7 \times 7} 49 \xrightarrow{4 \times 4 + 9 \times 9} 97 \xrightarrow{9 \times 9 + 7 \times 7} 130 \xrightarrow{1 \times 1 + 3 \times 3 + 0 \times 0} 10 \xrightarrow{1 \times 1 + 0 \times 0} 1$

(2) 예 두 자리 수: 13, 31, 23 /
세 자리 수: 103, 130, 301

2 97개
3 9873, 9765
4 243개

최상위 사고력 **3** 수와 숫자의 개수 | 26~33쪽

3-1. 수와 숫자의 개수

1 45쪽
2 4893자리 수

최상위 사고력 3

3-2. 어떤 숫자가 들어있는 수

1 (앞에서부터) 9, 20, 20, 20, 20, 20, 20, 20, 20, 20

2 301개

^{최상위}_{사고력} 1, 1361번

3-3. 모든 숫자의 합

1 900   **2** 12000

^{최상위}_{사고력} 180001

최상위 사고력

1 771개, 2217개   **2** 48888번

3 740명   **4** 271개

Review Ⅰ 수 |34~36쪽

1 2조 8700억개   **2** 310000000000

3 323장   **4** 63개

5 10236   **6** 6

Ⅱ 측정

^{최상위 사고력} 4 삼각형과 각도 |38~45쪽

4-1. 직선과 각도

1 12개   **2** 70°

^{최상위}_{사고력} 145°

4-2. 직각 삼각자와 각도

1 75°   **2** 40°

^{최상위}_{사고력} 72°

4-3. 덩어리로 각도 구하기

1 110°   **2** 180°

^{최상위}_{사고력} 50°

최상위 사고력

1 5개   **2** 84°

3 180°   **4** 70°

^{최상위 사고력} 5 다각형과 각도 |46~53쪽

5-1. 삼각형으로 각도 구하기

1 76°, 75°   **2** 15°

^{최상위}_{사고력} 20°

5-2. 다각형의 내각의 크기의 합

1 360°   **2** 540°

^{최상위}_{사고력} 360°

5-3. 접기와 각도

1 40°   **2** 60°

^{최상위}_{사고력} 60°

최상위 사고력

1 140°   **2** 540°

3 120°   **4** 100°

6-1. 각도와 횟수

1 ②, ④ **2** 6번, 5번

최상위
사고력 44번

6-2. 시곗바늘이 움직인 각도

1 220° **2** 9시 5분

최상위
사고력 6시 10분

6-3. 시곗바늘이 이루는 각도

1 예 큰 눈금 7에서 작은 눈금으로 2칸 더 간 곳을 가리 킵니다.

2 145° 최상위
사고력 70°

| 최상위 사고력 |

1 4시, 8시 **2** 7시 45분
3 3시 50분 **4** 126°

Review II 측정 | 62~64쪽

1 45° **2** 75°
3 720° **4** 40°
5 7시 10분 **6** 65°

III 연산

7-1. 간단한 곱셈

1 (1) $7800-78=7722$

(2)
$$\begin{array}{r} 6\;2 \\ \times\;6\;8 \\ \hline 4\;2\;1\;6 \end{array}$$
$6\times(6+1)$ 2×8

(3)
$$\begin{array}{r} 8\;9 \\ \times\;2\;9 \\ \hline 2\;5\;8\;1 \end{array}$$
$8\times2+9$ 9×9

최상위
사고력 (1) $3\times12\times25=3\times3\times4\times25$
$\qquad\qquad\quad =9\times100=900$

(2) $25\times125\times32=25\times125\times4\times8$
$\qquad\qquad\quad\;\; =25\times4\times125\times8$
$\qquad\qquad\quad\;\; =100\times1000$
$\qquad\qquad\quad\;\; =100000$

7-2. 여러 가지 곱셈 방법

1
$$\begin{array}{r} 7\;4 \\ \times\;9\;8 \\ \hline 6\;3\;3\;2 \\ 5\;6 \\ 3\;6 \\ \hline 7\;2\;5\;2 \end{array}$$

2   5   3   6 , 12328

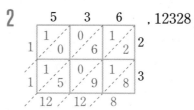

최상위
사고력

(1)
21	×	13
∨ 21		13
10		26
∨ 5		52
2		104
∨ 1		208
		273

(2)
38	×	72
38		72
∨ 19		144
∨ 9		288
4		576
2		1152
∨ 1		2304
		2736

7-3. 가장 큰 곱, 가장 작은 곱

1 ㉢, ㉣, ㉠, ㉡, ㉤, ㉥ **2** 3

| 최상위 사고력 | 가장 큰 경우 | 가장 작은 경우 |

가장 큰 경우:
```
    6 5 2
  ×   8 4
  5 4 7 6 8
```

가장 작은 경우:
```
    4 6 8
  ×   2 5
  1 1 7 0 0
```

최상위 사고력

1 (1) 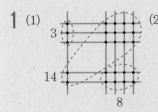 (2)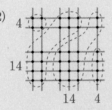

➡ $14 \times 32 = 448$ ➡ $231 \times 24 = 5544$

2

$47 \times 36 = 1692$	
47	1
94	2
188	4 ∨
376	8
752	16
1504	32 ∨
1692	

3 380000

4 843500, 24440

---

8 나눗셈 |74~81쪽|

8-1. 몫과 나머지

1 12개 **2** 629, 612

최상위 사고력 A: 6개 최상위 사고력 B: 985

8-2. 어떤 수 구하기

1 23 **2** 69

최상위 사고력: 174

8-3. 과부족

1 27개 **2** 8명, 72권

최상위 사고력: 1반: 18명, 2반: 23명

최상위 사고력

1 1044 **2** 370명

3 5 **4** 666

---

9 연산 퍼즐 |82~89쪽|

9-1. 벌레 먹은 셈

1
```
      6 3 2
  ×     3 6
      3 7 9 2
    1 8 9 6
    2 2 7 5 2
```

2
```
    1 8 6 3
  ×       4
    7 4 5 2
```

최상위 사고력:
```
            2 7
    3 8 ) 1 0 2 9
            7 6
            2 6 9
            2 6 6
                3
```

9-2. 복면산

1 A=7, B=4

2 A=1, B=2, C=5, D=6, E=3, F=0

최상위 사고력: 299, 559, 689, 819, 949, 989

9-3. 마방진

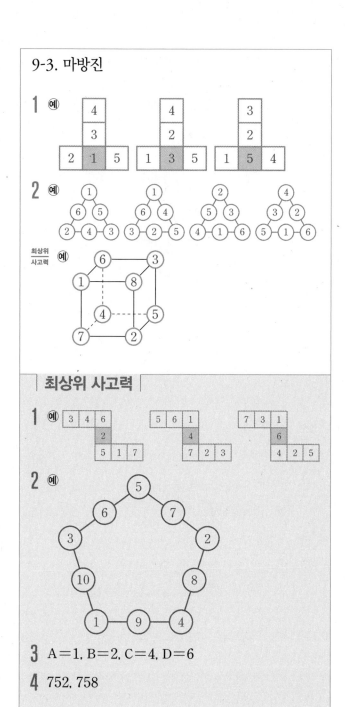

1 예
2 예

최상위
사고력 예

최상위 사고력

1 예
2 예

3 A=1, B=2, C=4, D=6

4 752, 758

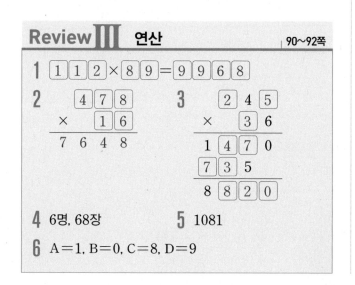

Review III 연산
| 90~92쪽

1 1 1 2 × 8 9 = 9 9 6 8

2
```
    4 7 8
  ×   1 6
  7 6 4 8
```

3
```
    2 4 5
  ×   3 6
  1 4 7 0
    7 3 5
  8 8 2 0
```

4 6명, 68장

5 1081

6 A=1, B=0, C=8, D=9

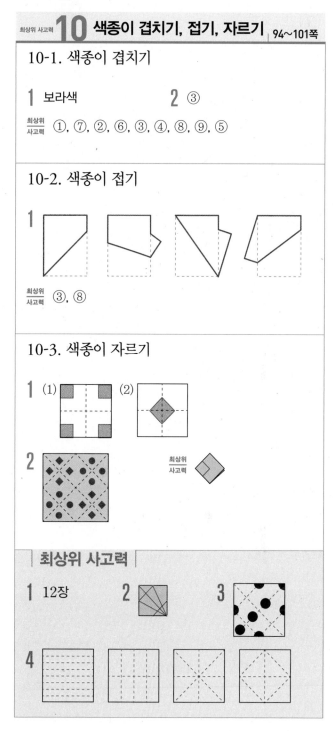

IV 도형

최상위 사고력 **10 색종이 겹치기, 접기, 자르기** |94~101쪽

10-1. 색종이 겹치기

1 보라색   2 ③

최상위
사고력 ①, ⑦, ②, ⑥, ③, ④, ⑧, ⑨, ⑤

10-2. 색종이 접기

1

최상위
사고력 ③, ⑧

10-3. 색종이 자르기

1 (1) (2)

2

최상위
사고력

최상위 사고력

1 12장   2   3

4

11-1. 도형 돌리기

1

2

최상위 사고력 6번

11-2. 거울에 비친 모양

1

㉠에서 본 모양   ㉡에서 본 모양

2 ②, ⑤, ⑥   최상위 사고력 ④

11-3. 글자, 숫자 움직이기

1 (1) 물, 곰, 옹 (2) 유, 옹 (3) 나, 유, 머

2 180개   최상위 사고력 61+18+89+69

최상위 사고력

1 36개   2 ㉠, ㉢, ㉤, ㉥

3 12칸   4 12659, 15689

12-1. 같은 도형 붙이기

1 (1)

(2)

최상위 사고력 4가지

12-2. 서로 다른 도형 붙이기

1 4가지   2 9가지

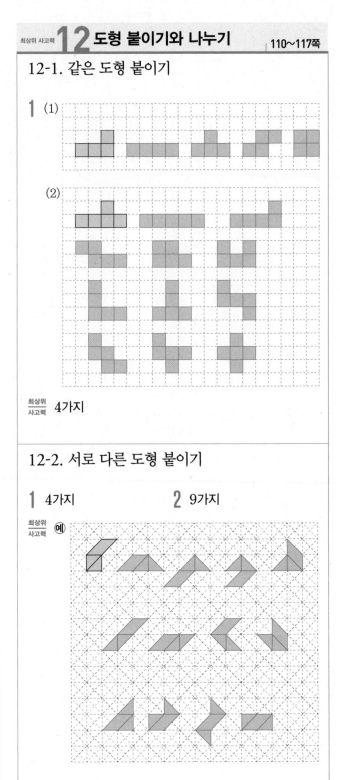

최상위 사고력 예

12-3. 도형 나누기

1

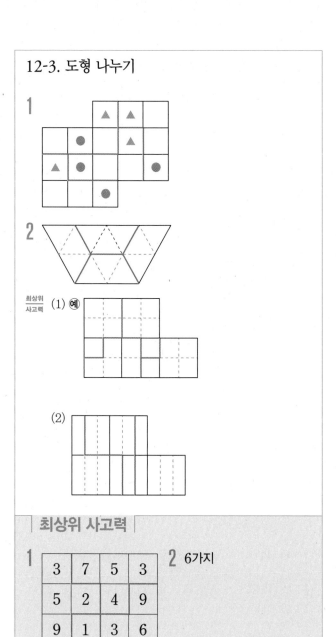

2

최상위 사고력 (1) **예**

(2)

1

3	7	5	3
5	2	4	9
9	1	3	6
6	4	8	1

2 6가지

3 12가지   4 12가지

Review IV 도형
| 118~120쪽

1 ②   2 오전 9시 51분

3 ②, ④   4

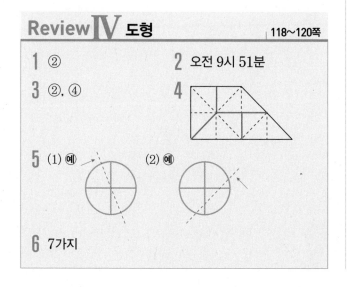

5 (1) 예   (2) 예

6 7가지

V 규칙

13-1. 수열 완성하기

1 (1) 6 (2) 6 (3) 17, 23 (4) 122

2 4, 7, 11, 29

최상위 사고력 (1) 10 → 8

(2) 13 → 12

(3) 두 번째에 있는 3 → 5

13-2. 몇 번째 수 구하기

1 가, 15   2 43번째, 54번째

최상위 사고력 53번째

13-3. 수열의 합 구하기

1 1716   2 2025

최상위 사고력 A 2107   **최상위 사고력 B** 35, 73

1 338   2 5

3 861번째   4 1이 5개 더 많습니다.

14-1. 계단식 배열

1 245025　　　**2** (1) 625　(2) 1275

최상위 사고력　6720899932791

14-2. 열이 있는 배열

1 ㄹ　　　　　　　**2** 다, 마

최상위 사고력　왼손, 약지

14-3. 행과 열이 있는 배열

1 53　　　　　　　**2** 81, 83, 76

최상위 사고력　(11, 8)

최상위 사고력

1 266, 68

2 385

3 위로 5칸, 오른쪽으로 4칸

4 (나, 75)

15-1. 모양의 개수

1 135개　　　　　　**2** 145개

최상위 사고력　21번째

15-2. 프랙탈

1 (1)　　　　　　　(2) 81개

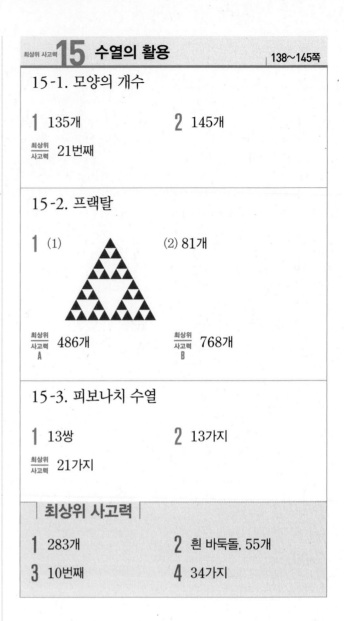

최상위 사고력 A　486개　　최상위 사고력 B　768개

15-3. 피보나치 수열

1 13쌍　　　　　　**2** 13가지

최상위 사고력　21가지

최상위 사고력

1 283개　　　　**2** 흰 바둑돌, 55개

3 10번째　　　　**4** 34가지

1 2　　　　　　　**2** 8번째

3 32　　　　　　　**4** 21가지

5 729개　　　　　**6** 89

1회 1~4쪽

01 19

02 13장

03 (1) 5400 (2) 560000

04

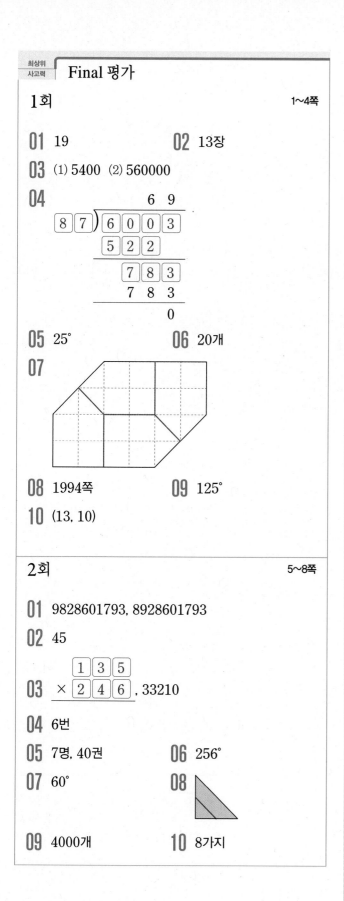

05 25°

06 20개

07

08 1994쪽

09 125°

10 (13, 10)

2회 5~8쪽

01 9828601793, 8928601793

02 45

03
$$\begin{array}{r} \boxed{1}\,\boxed{3}\,\boxed{5} \\ \times\ \boxed{2}\,\boxed{4}\,\boxed{6} \end{array}$$, 33210

04 6번

05 7명, 40권

06 256°

07 60°

08

09 4000개

10 8가지

최상위 사고력 정답과 풀이

Ⅰ 수

2학년때까지 학습한 세 자리 수, 네 자리 수에 이어 이번 단원에서는 초등 과정에서 마지막으로 수의 범위를 큰 수로 확장하여 인도-아라비아 수의 구성 원리를 다시 한번 학습합니다.

1 큰 수에서는 고대 수의 구성 원리와 수 표기 방법의 불편함을 알아보고, 실생활에서 사용되는 크기가 큰 인도-아라비아 수의 단위 변환에 대해 학습합니다. 또 큰 수의 각 자릿수에 대한 여러 조건을 이용하여 효율적으로 수를 찾는 방법에 대해 알아봅니다.

2 여러 가지 수 만들기에서는 오름수, 내림수, 대칭수 등 일정한 특징이 있는 수를 대상으로 조건에 맞는 수와 수의 개수를 구합니다. 문제를 해결하는 데 나뭇가지 그림이 기초가 되지만 여기서는 곱을 이용하여 간단히 구하는 방법을 익히도록 합니다.

3 수와 숫자의 개수에서는 수와 숫자가 다름을 인식하고 주어진 순서나 범위에 나오는 수와 숫자가 몇 번씩 나오는지 구합니다. 수의 범위가 커서 매우 복잡하고 어렵게 느껴질 수 있지만 수의 구성 원리와 규칙을 이용하면 간단히 해결할 수 있음을 경험하도록 합니다.

최상위 사고력 **1 큰 수**

1-1. 수 나타내기

10~11쪽

1 (1) 𓋴𓊖∩∩∩∩∩|||| (2) |||||𓂋𓂋𓂋𓂋𓂋∩∩

2 202=|| ||, 20002=|| ||, ⑩ 202와 20002를 정확하게 나타내기 어렵습니다.

최상위
사고력 **453.**

저자 톡! 인도-아라비아 수가 널리 사용되기 전에 인류가 수를 표기한 여러 가지 방법에 대해 알아보는 내용입니다. 고대 수의 표기 방법의 구성 원리를 찾아보고, 고대 수와 비교하여 인도-아라비아 수가 얼마나 편리한지를 느껴보도록 합니다.

1 (1) 2054

$$=1000+1000+10+10+10+10+10+1+1+1+1$$

➡ 𓋴𓊖∩∩∩∩∩||||

(2) 30530

$$=10000+10000+10000+100+100+100+100+100$$
$$+10+10+10$$

➡ |||||𓂋𓂋𓂋𓂋𓂋∩∩

보충 개념

고대 이집트에서는 주변에서 자주 볼 수 있는 막대기, 연꽃, 손가락 등의 모양을 본떠서 다음과 같이 수를 나타내었습니다.

수	고대 이집트 숫자	설명
1			막대기
10	∩	말굽형
100	𓂋	밧줄
1000	𓆼	연꽃
10000	𓂭	손가락
100000	𓆐	올챙이
1000000	𓁨	사람

2 산가지 수는 일, 백, 만과 같은 홀수 자리에서는 세로로, 십, 천, 십만과 같은 짝수 자리에서는 가로로 선을 그어 수를 나타내었습니다.

숫자	1	2	3	4	5	6	7	8	9
홀수 자리	Ⅰ	Ⅱ	Ⅲ	Ⅲ	Ⅲ	⊤	⊤	⊤	⊤
짝수 자리	−	=	≡	≡	≡	⊥	⊥	⊥	⊥

➡ 202＝‖ ‖, 20002＝‖   ‖

따라서 가운데 빈칸을 얼마나 띄운 것인지 정확하지 않아 202와 20002 를 정확하게 구분하여 나타내기 어렵습니다.

보충 개념
20개의 숫자만으로 어떤 큰 수라도 나타낼 수 있어 고대의 여러 나라의 수와 비교했을 때 매우 혁신적인 수 표기 방법이라고 할 수 있습니다.

최상위 사고력 고대 스위스에서는 다음과 같이 수를 나타내었습니다.

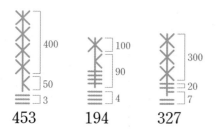

✕	K	＋	⊢	−
100	50	10	5	1

453   194   327

주의
5와 50은 10과 100의 표기 방법에서 반만 표시하였고, 일의 자리 숫자는 세로선과 띄어서 표기해야 하는 것에 주의합니다.

1-2. 자릿값 이용하기   12~13쪽

1 10배	**2** 1721109장	**최상위 사고력** (1) 946조 km (2) 3번

저자 톡! 큰 수를 여러 가지 단위로 바꾸어 나타내는 내용입니다. 인도–아라비아 수로 큰 수를 나타내기 위해서는 숫자를 많이 사용해야 해서 불편한 점이 있습니다. 이런 불편함을 해결하기 위해 몇 자리씩 끊어서 수를 표현하는 방법을 사용하였음을 문제를 해결하며 느끼도록 합니다.

1 ㉮는 1000만이 3000인 수이므로 300:0000:0000이고,

㉯는 3 billion이므로 30:0000:0000입니다.

30:0000:0000 $\xrightarrow{\text{10배}}$ 300:0000:0000

따라서 ㉮는 ㉯의 10배입니다.

해결 전략
각각 수로 나타내어 ㉮는 ㉯의 몇 배인지 알아봅니다.

2

일억 원짜리 17200장 ➡	1:7200:0000:0000
십만 원짜리 8025장 ➡	8:0250:0000
만 원짜리 30650장 ➡	3:0650:0000
천 원짜리 63장 ➡	6:3000
500원짜리 1개 ➡	500
100원짜리 35개 ➡	3500
	1:7211:0906:7000

따라서 이 돈을 모두 백만 원짜리 수표로 바꾼다면 최대 1721109장까지 바꿀 수 있습니다.

해결 전략
백만은 0이 6개이므로 금액을 (몇)×1000000으로 나타냅니다.

^{최상위}
^{사고력} (1) 초거대 태양계는 지구로부터 100광년 떨어진 거리에 있고 1광년은
9조 4600억 km이므로 9조 4600억 × 100 = 946조(km) 떨어진
거리에 있습니다.

(2) 1 Mm는 1 km의 1000배이고, 1 Tm는 1 Mm의 1000000배입니다.
946조 km를 Mm 단위로 바꾸면
9460 0000 0000 Mm(=9460억 Mm)이고,
Tm 단위로 바꾸면 94 6000 Tm(=94만 6000 Tm)입니다.
따라서 946조 km를 Tm 단위로 바꾸어 나타낼 때 0은 3번 써야 합
니다.

> **보충 개념**
> 9 4600 0000 0000
> $\xrightarrow{100배}$ 946 0000 0000 0000

> **해결 전략**
> 1 km의 몇 배가 1 Tm인지 알아봅니다.

1-3. 조건과 수
14~15쪽

1 9990004　　　　　**2** 42031　　　^{최상위}^{사고력} 967824513

저자 톡! 조건에 맞는 수를 구하는 내용입니다. 수를 구하기 위해서는 자리 표를 만든다거나 수를 쉽게 알 수 있는 조건부터 이용합니다.

1 다음과 같은 순서대로 조건에 맞는 가장 큰 수를 구합니다.
첫 번째 조건에서 일곱 자리 수 중에서 가장 큰 수는 9999999입니다.
두 번째 조건에서 백만의 자리 숫자가 일의 자리 숫자보다 5 크다고 했
으므로 일의 자리 숫자는 9보다 5 작은 수 4가 됩니다.
999 9999 ➡ 999 9994
세 번째 조건에서 0이 모두 3개 사용되고 가장 큰 수가 되기 위해서는
십의 자리부터 만의 자리까지의 9를 0으로 바꿉니다.
999 9994 ➡ 999 0004
따라서 구하는 수는 9990004입니다.

> **해결 전략**
> 첫 번째 조건부터 차례로 이용합니다.

2 첫 번째 조건에서 각 자리의 숫자들은 모두 다르고 5보다 작으므로 0,
1, 2, 3, 4로 이루어진 다섯 자리 수입니다.
두 번째 조건에서 2로 나누면 나머지가 1이므로 일의 자리 숫자는 1 또
는 3입니다.

세 번째 조건에서 백의 자리 숫자에 어떤 수를 곱하여도 0이 되는 수는
0이므로 백의 자리 숫자는 0입니다.

다섯 번째 조건에서 십의 자리 숫자는 일의 자리 숫자보다 2 크므로 3
또는 5이나 각 자리 숫자들은 5보다 작아야 하므로 5는 쓸 수 없습니다.

➡ | | | 0 | 3 | 1 |

> **해결 전략**
> 수의 범위를 좁힐 수 있는 조건부터 이용합
> 니다.

네 번째 조건에서 만의 자리 숫자는 천의 자리 숫자보다 2 크므로 만의 자리 숫자는 4, 천의 자리 숫자는 2입니다.

➡ | 4 | 2 | 0 | 3 | 1 |

따라서 구하는 수는 42031입니다.

해결 전략
가장 큰 수를 만들어야 하므로 가장 큰 숫자를 높은 자리에 써넣습니다.

최상위 사고력 가장 큰 수를 만들어야 하므로 9를 가장 높은 자리에 써넣습니다.

➡ | 9 | | | | | | | | |

네 번째 조건에서 8+7+6=21, 7+6+4+3+1=21이나 9와 2 사이에 7, 6, 4, 3, 1이 들어가면 다른 조건에 맞는 수를 구할 수 없으므로 9와 2 사이에는 8, 7, 6이 들어갑니다.

➡ | 9 | | | | 2 | | | | |

첫 번째 조건에서 5+4+1=10이므로 2와 3 사이에는 5, 4, 1이 들어가고, 3은 일의 자리 숫자가 됩니다.

➡ | 9 | | | | 2 | | | | 3 |

두 번째 조건에서 5+4=9이므로 2와 1 사이에는 5, 4가 들어갑니다.

➡ | 9 | | | | 2 | | | 1 | 3 |

세 번째 조건에서 8+2=10이므로 4와 7 사이에는 8, 2가 들어갑니다.

➡ | 9 | | 7 | 8 | 2 | 4 | | 1 | 3 |

나머지 숫자를 알맞게 써넣어 조건에 맞는 가장 큰 수를 구합니다.

➡ | 9 | 6 | 7 | 8 | 2 | 4 | 5 | 1 | 3 |

따라서 구하는 수는 967824513입니다.

최상위 사고력 16~17쪽

1 800200000000   **2** 48371058

3 11개   **4** 54980132

---

1 주어진 4장의 글자 카드 중에서 단위를 나타내는 글자 카드는 | 억 | 입니다.

가장 큰 수

| 팔 | 천 | 이 | 억 |

➡ 8002 | 0000 | 0000

따라서 만들 수 있는 수 중에서 가장 큰 수는 800200000000입니다.

보충 개념
우리나라에서는 수를 쓰고, 읽을 때 네 자리마다 수를 표현하는 단위를 바꾸어 나타냅니다.
➡ 일, 만, 억, 조 등

2 높은 자리의 두 숫자를 ㉠, ㉡이라 하면
㉡㉠371058−㉠㉡371058=36000000입니다.
㉠<㉡이면서 ㉠+㉡=12인 ㉠, ㉡을 찾아보면 다음과 같습니다.
(㉠, ㉡)=(3, 9), (4, 8), (5, 7)
이 중에서 ㉡㉠−㉠㉡=36인 수는 84−48=36이므로
(㉠, ㉡)=(4, 8)입니다.
따라서 선생님께서 불러주신 수는 48371058입니다.

해결 전략
㉠㉡371058을 잘못 받아 적은 수는
㉡㉠371058입니다.

3 • 숫자 1을 2개 지우는 경우: 3개
1̶3̶1313 ➡ 3313　　131̶3̶1̶3 ➡ 3133　　131̶31̶3 ➡ 1333
• 숫자 3을 2개 지우는 경우: 3개
1̶3̶1313 ➡ 1113　　13̶13̶13 ➡ 1131　　1313̶13̶ ➡ 1311
• 숫자 1과 숫자 3을 1개씩 지우는 경우: 5개
1̶3̶1313 ➡ 1313　　1̶313̶13 ➡ 3113　　1̶3131̶3 ➡ 3131
1̶31̶313 ➡ 1313　　13̶131̶3 ➡ 1133　　13̶1313̶ ➡ 1313
131̶3̶13 ➡ 1331　　131̶31̶3 ➡ 1313　　1313̶1̶3 ➡ 1313

□ 표시된 수 4개를 제외하면 만들 수 있는 서로 다른 네 자리 수는
모두 3+3+5=11(개)입니다.

해결 전략
숫자 1을 2개, 숫자 3을 2개, 숫자 1과 숫자 3을 1개씩 지우는 경우로 나누어 구합니다.

4 첫 번째 조건에서 각 자리 숫자가 모두 다른 여덟 자리 수이므로
| ㉠ | ㉡ | ㉢ | ㉣ | ㉤ | ㉥ | ㉦ | ㉧ |

이라고 하여 조건에 맞는 수를 구합니다.
세 번째 조건에서 ㉢=9, ㉤=0입니다.

➡ | ㉠ | ㉡ | 9 | ㉣ | 0 | ㉥ | ㉦ | ㉧ |

두 번째 조건에서 ㉥=㉣−7이므로 ㉣=8, ㉥=1입니다.

➡ | ㉠ | ㉡ | 9 | 8 | 0 | 1 | ㉦ | ㉧ |

네 번째 조건에서 ㉠+㉡+㉦+㉧=14이고, 2+3+4+5=14이
므로 ㉠, ㉡, ㉦, ㉧에 2, 3, 4, 5가 들어갈 수 있습니다.
다섯 번째 조건에서 2로 나누어떨어지므로 ㉧에 2 또는 4를 써넣을 수
있습니다.

➡ | 5 | 4 | 9 | 8 | 0 | 1 | 3 | 2 |

또는 | 5 | 3 | 9 | 8 | 0 | 1 | 2 | 4 |

따라서 조건에 맞는 수 중에서 가장 큰 수는 54980132입니다.

해결 전략
수의 범위를 좁힐 수 있는 조건부터 이용합니다.

2-1. 오름수와 내림수

1 (1) 예 높은 자리로 갈수록 숫자의 크기가 작아집니다. (2) 5678, 5679, 5689, 5789, 6789

2 120개   최상위 사고력 (1) 34개 (2) 359

저자 톡! 높은 자리로 갈수록 숫자가 커지거나 작아지는 수를 대상으로 조건에 맞는 수와 조건에 맞는 수의 개수를 구하는 내용입니다. 앞에서 조건에 맞는 수를 구하는 방법을 학습했던 것과 같은 방법으로 오름수와 내림수를 찾을 수 있도록 합니다.

1 (2) 나뭇가지 그림을 그려 찾아봅니다.

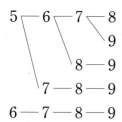

> **해결 전략**
> 각 자리 숫자를 살펴보고 규칙을 찾습니다.

따라서 5678, 5679, 5689, 5789, 6789로 모두 5개입니다.

2 백의 자리에 올 수 있는 숫자는 2부터 9까지 모두 8개입니다.

2 — 1 — 0 ➡ 1개

3 ⌐ 2 — 1 ➡ 1+2=3(개)
 ├ 0
 └ 1 — 0

4 ⌐ 3 ⌐ 2 ➡ 1+2+3=6(개)
 │ ├ 1
 │ └ 0
 ├ 2 ⌐ 1
 │ └ 0
 └ 1 — 0
 ⋮

> **주의**
> 내림수를 만들 때는 가장 높은 자리에 0이 들어가지 않도록 주의합니다.

이와 같은 방법으로 백의 자리의 숫자가 9일 때까지 구합니다.

$1+(1+2)+(1+2+3)+(1+2+3+4)+(1+2+3+4+5)$
$+(1+2+3+4+5+6)+(1+2+3+4+5+6+7)$
$+(1+2+3+4+5+6+7+8)$
$=1+3+6+10+15+21+28+36=120$(개)

> **다른 풀이**
> 높은 자리로 갈수록 각 자리의 숫자가 커지는 세 자리 수의 개수는 10개의 숫자 중에서 3개의 서로 다른 숫자를 고르는 방법을 이용하여 구할 수 있습니다.
> $10 \times 9 \times 8 = 720$(개)
> 이 중에서 3개의 숫자를 골라 만들 수 있는 수는 123, 132, 213, 231, 312, 321과 같이 각각 6개씩 만들어지고, 이 중에 높은 자리로 갈수록 숫자가 작아지는 수는 321 단 한 개뿐입니다.
> 따라서 만들 수 있는 모든 수를 6으로 나누어 주면 $720 \div 6 = 120$(개)입니다.

최상위 사고력 (1) • 백의 자리 숫자가 1인 경우

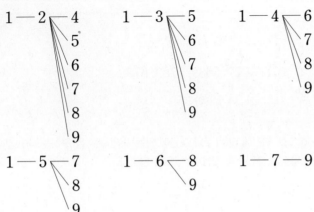

➡ $6+5+4+3+2+1=21$(개)

• 백의 자리 숫자가 2인 경우

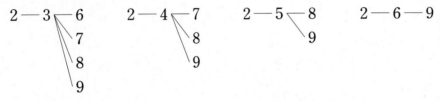

➡ $4+3+2+1=10$(개)

• 백의 자리 숫자가 3인 경우

$$3-4\begin{array}{c}8\\9\end{array}\qquad 3-5-9$$

➡ $2+1=3$(개)

• 백의 자리 숫자가 4보다 크거나 같은 경우

백의 자리 숫자가 4이면 십의 자리에 올 수 있는 가장 작은 숫자가 5이고, $4+5=9$이므로 조건을 만족하는 수가 없습니다.

따라서 조건을 만족하는 수의 개수는 모두 $21+10+3=34$(개)입니다.

(2) 앞의 숫자들의 합이 다음 숫자보다 작은 성질을 가진 수 중에서 가장 큰 수는 백의 자리 숫자가 3일 때 359입니다.

해결 전략
백의 자리 숫자가 1, 2, 3……인 경우로 나누어 구합니다.

보충 개념
백의 자리 숫자가 4일 때 459는 $4+5=9$이므로 조건에 맞지 않습니다.

2-2. 몇 번째 수 만들기

20~21쪽

1 4536, 4563, 4635, 4653, 5346, 5364, 5436

2 74번째

최상위 사고력 (1) 58013 (2) 18053

저자 톡! 수 카드를 사용하여 가장 큰 수, 가장 작은 수, 몇 번째로 큰 수 등을 만들 때는 나뭇가지 그림을 이용하면 편리합니다. 하지만 찾아야 하는 수의 순서가 너무 뒤에 있을 때는 나뭇가지 그림이 불편할 때가 있습니다. 이런 경우 나뭇가지 그림을 기초로 하여 곱을 이용하는 방법에 대해 알아봅니다.

1

$$4 - 5 \begin{cases} 3 - 6 \\ 6 - 3 \end{cases}$$

$$4 - 6 \begin{cases} 3 - 5 \\ 5 - 3 \end{cases}$$

$$5 - 3 \begin{cases} 4 - 6 \\ 6 - 4 \end{cases}$$

$$5 - 4 - 3 - 6$$

따라서 4500보다 크고 5450보다 작은 수는 4536, 4563, 4635, 4653, 5346, 5364, 5436입니다.

해결 전략
나뭇가지 그림을 그려 찾아봅니다.

2 3891보다 큰 네 자리 수는 천의 자리 숫자가 9, 8, 7, 3인 경우로 나누어 곱을 이용하여 만들 수 있는 수의 개수를 구합니다.

천의 자리 숫자가 9인 경우: $4 \times 3 \times 2 = 24$(개)

천의 자리 숫자가 8인 경우: $4 \times 3 \times 2 = 24$(개)

천의 자리 숫자가 7인 경우: $4 \times 3 \times 2 = 24$(개)

천의 자리 숫자가 3인 경우에 가장 큰 수는 3987이고, 그 다음 수가 3981입니다.

따라서 3981은 $24 + 24 + 24 + 2 = 74$(번째)로 큰 수입니다.

해결 전략
가장 큰 수는 가장 높은 자리부터 큰 수를 넣어 만듭니다.

최상위 사고력 (1) 만의 자리 숫자가 8인 경우 만들 수 있는 수의 개수는

$4 \times 3 \times 2 \times 1 = 24$(개)입니다.

$24 + 6 = 30$(번째)이므로 만의 자리 숫자가 5인 경우를 나뭇가지 그림을 그려 30번째로 큰 수를 찾습니다.

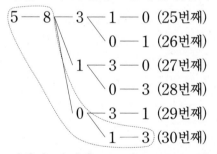

따라서 30번째로 큰 수는 58013입니다.

(2) 만의 자리 숫자가 1, 천의 자리 숫자가 0인 경우: $3 \times 2 \times 1 = 6$(개)

만의 자리 숫자가 1, 천의 자리 숫자가 3인 경우: $3 \times 2 \times 1 = 6$(개)

만의 자리 숫자가 1, 천의 자리 숫자가 5인 경우: $3 \times 2 \times 1 = 6$(개)

$18 + 2 = 20$(번째)이므로 만의 자리 숫자가 1, 천의 자리 숫자가 8인 경우를 나뭇가지 그림을 그려 20번째로 작은 수를 찾습니다.

$$1 - 8 - 0 \begin{cases} 3 - 5 & (19번째) \\ 5 - 3 & (20번째) \end{cases}$$

따라서 20번째로 작은 수는 18053입니다.

해결 전략
가장 높은 자리부터 사용할 수 있는 숫자의 개수의 곱으로 구합니다.

해결 전략
가장 높은 자리에 0이 들어갈 수 없으므로 만의 자리 숫자에 1을 넣어 만들 수 있는 수를 구합니다.

1 99개

2 (1) ① 2 ② 1 ③ 3 ④ 4 ⑤ 1 ⑥ 3 (2) 예 각 자리 숫자의 합에 받아올림이 없습니다.

최상위
사고력 8번

저자 톡! 대칭수는 수 감각을 묻는 문제로 빠지지 않고 등장하는 주제입니다. 대칭수의 특징에 맞게 조건에 맞는 수를 찾는 방법을 생각해 봅니다.

1 • 두 자리 수는 일의 자리 숫자와 십의 자리 숫자가 같아야 대칭수가 됩니다.

11, 22, 33······99 ➡ 9개

• 세 자리 수는 백의 자리 숫자에 따라 일의 자리 숫자도 정해지므로 백의 자리에 들어갈 수 있는 숫자의 개수와 십의 자리에 들어갈 수 있는 숫자의 개수를 생각하여 곱을 이용하여 구합니다.

(백의 자리에 들어갈 수 있는 숫자의 개수)×(십의 자리에 들어갈 수 있는 숫자의 개수)＝9×10＝90(개)

따라서 10부터 999까지의 수 중에서 대칭수는 모두 9＋90＝99(개)입니다.

해결 전략
두 자리 수와 세 자리 수로 나누어 구합니다.

주의
백의 자리에는 0이 들어갈 수 없습니다.

2 (1) ① 152 ➡ 2 단계

$$\begin{array}{r} 1\,5\,2 \\ +\,2\,5\,1 \\ \hline 4\,0\,3 \end{array} \quad \begin{array}{r} 4\,0\,3 \\ +\,3\,0\,4 \\ \hline 7\,0\,7 \end{array}$$

② 431 ➡ 1 단계

$$\begin{array}{r} 4\,3\,1 \\ +\,1\,3\,4 \\ \hline 5\,6\,5 \end{array}$$

③ 264 ➡ 3 단계

$$\begin{array}{r} 2\,6\,4 \\ +\,4\,6\,2 \\ \hline 7\,2\,6 \end{array} \quad \begin{array}{r} 7\,2\,6 \\ +\,6\,2\,7 \\ \hline 1\,3\,5\,3 \end{array} \quad \begin{array}{r} 1\,3\,5\,3 \\ +\,3\,5\,3\,1 \\ \hline 4\,8\,8\,4 \end{array}$$

④ 729 ➡ 4 단계

$$\begin{array}{r} 7\,2\,9 \\ +\,9\,2\,7 \\ \hline 1\,6\,5\,6 \end{array} \quad \begin{array}{r} 1\,6\,5\,6 \\ +\,6\,5\,6\,1 \\ \hline 8\,2\,1\,7 \end{array} \quad \begin{array}{r} 8\,2\,1\,7 \\ +\,7\,1\,2\,8 \\ \hline 1\,5\,3\,4\,5 \end{array} \quad \begin{array}{r} 1\,5\,3\,4\,5 \\ +\,5\,4\,3\,5\,1 \\ \hline 6\,9\,6\,9\,6 \end{array}$$

⑤ 602 ➡ 1 단계

$$\begin{array}{r} 6\,0\,2 \\ +\,2\,0\,6 \\ \hline 8\,0\,8 \end{array}$$

보충 개념
152를 거꾸로 읽으면 251입니다.

⑥ 546 ➡ 3단계

$$
\begin{array}{r}
546 \\
+645 \\
\hline
1191
\end{array}
\quad\to\quad
\begin{array}{r}
1191 \\
+1911 \\
\hline
3102
\end{array}
\quad\to\quad
\begin{array}{r}
3102 \\
+2013 \\
\hline
5115
\end{array}
$$

⑵ 1단계 수들의 공통점은 각 자리 숫자의 합에 받아올림이 없습니다.

최상위 사고력 12:21 ➡ 1221

01:10 ➡ 0110

02:20 ➡ 0220

03:30 ➡ 0330

04:40 ➡ 0440

05:50 ➡ 0550

10:01 ➡ 1001

11:11 ➡ 1111

따라서 낮 12시부터 밤 12시까지 모두 8번 나타납니다.

해결 전략
낮 12시부터 밤 12시까지 1시간 단위로 나누어 찾아봅니다.

최상위 사고력

24~25쪽

1 ⑴ $7 \xrightarrow{7\times7} 49 \xrightarrow{4\times4+9\times9} 97 \xrightarrow{9\times9+7\times7} 130 \xrightarrow{1\times1+3\times3+0\times0} 10 \xrightarrow{1\times1+0\times0} 1$

⑵ 예 두 자리 수: 13, 31, 23 / 세 자리 수: 103, 130, 301

2 97개 　　　　　**3** 9873, 9765 　　　　　**4** 243개

---

1 ⑵ 1부터 9까지의 수를 각각 2번씩 곱한 수는 1, 4, 9, 16, 25, 36, 49, 64, 81입니다.

이 중에서 $1+9=10$이므로 1과 3이 1개씩 들어간 두 자리 수는 Happy number가 되고, 1과 3을 이용하면 세 자리 수도 만들 수 있습니다.

두 자리 수: 13, 31

세 자리 수: 103, 130, 301, 310

이외에도 여러 가지 답이 있습니다.

해결 전략
각 자리 숫자를 두 번씩 곱한 수의 합이 10, 100, 1000……이 되면 결국 Happy number가 됩니다.

다른 풀이

Happy number 13에서 거꾸로 생각하면 또 다른 Happy number를 찾을 수 있습니다.

$13=4+9$이므로 2와 3이 1개씩 들어간 두 자리 수는 Happy number가 되고, 2와 3을 이용하면 세 자리 수를 만들 수 있습니다.

두 자리 수: 23, 32

세 자리 수: 203, 230, 302, 320

2 세 자리 수 중에서 세 글자로 읽히는 수는 다음과 같습니다.

111, 112, 113 …… 119 ➡ 9개

120, 130, 140 …… 190 ➡ 8개

$$\left.\begin{array}{l} 201, 202, 203 \cdots\cdots 209 \\ 301, 302, 303 \cdots\cdots 309 \\ \quad\vdots \\ 901, 902, 903 \cdots\cdots 909 \end{array}\right\} 9 \times 8 = 72(개)$$

210, 310, 410 …… 910 ➡ 8개

따라서 세 글자로 읽히는 수는 모두 $9 + 8 + 72 + 8 = 97$(개)입니다.

해결 전략

각 자리마다 가장 적게 읽히는 숫자와 가장 많이 읽히는 숫자가 무엇인지 찾아봅니다.

3 첫 번째 조건에서 홀수인 네 자리 수이므로 5가지 경우가 있습니다.

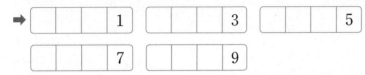

세 번째 조건에서 높은 자리로 갈수록 숫자가 커지는 내림수이므로 3가지 경우만 가능합니다.

➡ ⬚⬚⬚|1 ⬚⬚⬚|3 ⬚⬚⬚|5

두 번째 조건에서 각 자리 숫자의 합은 27이고, 가장 큰 세 수의 합은 $9 + 8 + 7 = 24$이므로 2가지 경우만 가능합니다.

➡ ⬚⬚⬚|3 ⬚⬚⬚|5

각 자리 숫자의 합이 27이 되는 수를 구합니다.

➡ |9|8|7|3| |9|7|6|5|

따라서 조건에 맞는 수는 9873, 9765입니다.

4 • ⬚⬚|7|7| 인 경우

천의 자리에 올 수 있는 수는 0을 제외한 9개의 숫자이고, 백의 자리에 올 수 있는 수는 7을 제외한 9개의 수이므로 만들 수 있는 수는 $9 \times 9 = 81$(개)입니다.

• ⬚|7|7|⬚| 인 경우

천의 자리에 올 수 있는 수는 0, 7을 제외한 8개의 수이고, 일의 자리에 올 수 있는 수는 7을 제외한 9개의 수이므로 만들 수 있는 수는 $8 \times 9 = 72$(개)입니다.

• |7|7|⬚|⬚| 인 경우

십의 자리에 올 수 있는 수는 7을 제외한 9개의 수이고, 일의 자리에 올 수 있는 수는 0부터 9까지 10개의 수이므로 만들 수 있는 수는 $9 \times 10 = 90$(개)입니다.

따라서 네 자리 수 중에서 7이 2개만 서로 붙어 있는 수는 모두 $81 + 72 + 90 = 243$(개)입니다.

해결 전략

⬚⬚|7|7|, ⬚|7|7|⬚|, |7|7|⬚⬚| 인 경우로 나누어 구합니다.

3-1. 수와 숫자의 개수

1 45쪽 **2** 4893자리 수 최상위 사고력 **3**

저자 톡! 수와 숫자의 개수는 인도-아라비아 수의 구성 원리와 편리함을 다시 한번 생각하고 느낄 수 있는 주제입니다. 수와 숫자를 정확히 구별할 수 있어야 하고, 어떤 범위 안에 나오는 수와 숫자의 개수를 구하기 위해서 수의 자리에 주목하여 생각할 수 있도록 합니다.

1 한 자리 수의 쪽수는 1부터 9까지 9개입니다.
쪽수에는 모두 81개의 숫자가 사용되었으므로
두 자리 수의 쪽수는 $(81-9) \div 2 = 36$(쪽)입니다.
따라서 이 책은 모두 $9+36=45$(쪽)입니다.

> **보충 개념**
> 수: 사물을 세거나 헤아리는 양, 크기나 순서
> 를 나타냄.
> 숫자: 수를 나타내는 기호
> 예 2 3 ─ 수
> 십의 자리 숫자 ─┘ └─ 일의 자리 숫자

2

자리 수	수의 개수	숫자의 개수
한 자리 수 (1~9)	9개	$1 \times 9 = 9$(개)
두 자리 수 (10~99)	90개	$2 \times 90 = 180$(개)
세 자리 수 (100~999)	900개	$3 \times 900 = 2700$(개)
네 자리 수 (1000~1500)	501개	$4 \times 501 = 2004$(개)

> **해결 전략**
> 한 자리 수, 두 자리 수, 세 자리 수, 네 자리 수로 나누어 숫자의 개수를 구하여 더합니다.

따라서 만든 수는 모두 $9+180+2700+2004=4893$(자리 수)입니다.

최상위 사고력 1부터 9까지 찍은 숫자의 개수는 $1 \times 9 = 9$(개), 10부터 99까지 찍은 숫자의 개수는 $2 \times 90 = 180$(개)이므로 세 자리 수를 찍은 숫자는 모두 $1000-189=811$(개)입니다.
$810 \div 3 = 270$이므로 100부터 270번째의 수는 369이고, 369 다음에 나오는 수 370의 제일 앞 자리 수 3이 1000번째에 찍은 숫자입니다.

3-2. 어떤 숫자가 들어있는 수

1 (앞에서부터) 9, 20, 20, 20, 20, 20, 20, 20, 20, 20

2 301개 최상위 사고력 1, 1361번

저자 톡! 어떤 범위 안에서 특정한 숫자가 모두 몇 번 나오는지 구하는 내용입니다. 100까지의 수, 1000까지의 수 등 작은 범위에서 규칙을 찾아 큰 범위로 확장하여 규칙을 적용해 보도록 합니다.

1 숫자 1은 일의 자리에 10개(1, 11, 21……81, 91),

십의 자리에 10개(10, 11, 12……18, 19) 쓰게 됩니다.

이와 같은 방법으로 숫자 1부터 9까지의 숫자는 각각 20개씩 쓰게 됩니다.

숫자 0은 일의 자리에 9개(10, 20, 30……80, 90) 쓰게 됩니다.

해결 전략
일의 자리, 십의 자리로 나누어 생각합니다.

숫자	0	1	2	3	4	5	6	7	8	9
개수(개)	9	20	20	20	20	20	20	20	20	20

2 0부터 999까지의 수의 개수는 $999-0+1=1000$(개)이고,

세 자리 수가 안 되는 수들의 앞에는 0을 붙여 세 자리로 표현합니다.

예를 들어 0은 000, 1은 001, 10은 010으로 표현합니다.

모두 세 자리 수이므로 0부터 999까지의 숫자의 개수는

$1000 \times 3 = 3000$(개)이고, 0부터 9까지의 10개의 숫자가 각각 백의

자리, 십의 자리, 일의 자리에 같은 개수만큼 사용되었으므로 숫자 1이

사용된 개수는 $3000 \div 10 = 300$(개)이고, 1000에 사용된 1의 개수는

1개이므로 1부터 1000까지의 자연수를 쓸 때 숫자 1은 모두

$300+1=301$(개) 쓰게 됩니다.

해결 전략
1부터 999까지의 자연수를 쓸 때 숫자 1의 개수는 0부터 999까지의 자연수를 쓸 때 숫자 1의 개수와 같으므로 0부터 999까지의 수를 모두 세 자리 수로 생각합니다.

보충 개념
(연속하는 수의 개수)=(끝수)−(시작수)+1

> **다른 풀이**
> 1부터 999까지의 수 중에서 각 자리에 1이 들어 있는 수의 개수를 구하는 방법으로 구합니다.
> 일의 자리 숫자가 1인 경우:
> (백의 자리에 들어갈 수 있는 숫자의 개수)×(십의 자리에 들어갈 수 있는 숫자의 개수)
> $=10 \times 10 = 100$(개)
> 십의 자리 숫자가 1인 경우:
> (백의 자리에 들어갈 수 있는 숫자의 개수)×(일의 자리에 들어갈 수 있는 숫자의 개수)
> $=10 \times 10 = 100$(개)
> 백의 자리 숫자가 1인 경우:
> (십의 자리에 들어갈 수 있는 숫자의 개수)×(일의 자리에 들어갈 수 있는 숫자의 개수)
> $=10 \times 10 = 100$(개)
> 마지막 수 1000에 1이 1번 사용되므로 1부터 1000까지 자연수를 쓸 때 숫자 1은 모두
> $100+100+100+1=301$(개) 쓰게 됩니다.

최상위 사고력 가장 많이 눌러야 하는 숫자 자판은 천의 자리에 쓰인 1이므로 1부터

1800까지 1의 개수를 구합니다.

• 일의 자리 숫자가 1인 수

  1부터 1800까지의 수 중에서 일의 자리 숫자가 1인 수는 1, 11, 21

  ……과 같이 10개마다 반복되므로 개수는 $1800 \div 10 = 180$(개)입니다.

• 십의 자리 숫자가 1인 수

  10, 11, 12……17, 18, 19와 같이 100개 중에서 10개씩 있으므로

  개수는 $1800 \div 100 \times 10 = 180$(개)입니다.

• 백의 자리 숫자가 1인 수

  100, 101, 102……197, 198, 199와 같이 1000개 중에서 100개씩

  있고, 2번씩 반복되므로 $100 \times 2 = 200$(개)입니다.

해결 전략
숫자 자판을 누르는 횟수는 숫자의 개수와 같습니다.

・천의 자리 숫자가 1인 수

　1000에서 1800까지의 수이므로 1800−1000+1=801(개)입니다.
➡ 1부터 1800까지의 수 중에서 숫자 1의 개수는

　180+180+200+801=1361(개)입니다.

따라서 가장 많이 눌러야 하는 숫자 자판은 1이고, 1361번 눌러야 합니다.

3-3. 모든 숫자의 합

30~31쪽

1 900	**2** 12000	최상위 사고력 180001

저자 톡! 어떤 범위에 나오는 수의 모든 숫자의 합을 구하는 내용입니다. 앞에서 학습하였던 수와 숫자의 개수를 구하는 방법을 이용하여 구할 수 있도록 합니다.

1 0부터 99까지의 자연수를 모두 두 자리 수로 생각하여 다음과 같이 씁니다.

$$
\begin{array}{cccccc}
00 & 01 & 02 & \cdots\cdots & 07 & 08 & 09 \\
10 & 11 & 12 & \cdots\cdots & 17 & 18 & 19 \\
 & & \vdots & & & \vdots & \\
90 & 91 & 92 & \cdots\cdots & 97 & 98 & 99
\end{array}
$$

0부터 99까지의 자연수의 개수는 100개이고, 모두 두 자리 수이므로 숫자의 개수는 100×2=200(개)입니다.

0부터 9까지의 각 숫자의 개수는 모두 같으므로 200÷10=20(개)씩입니다.

0+1+2+⋯⋯+7+8+9=45이므로 1부터 99까지의 자연수의 모든 숫자의 합은 45×20=900입니다.

해결 전략
0부터 99까지의 모든 자연수의 각 자리 숫자의 합은 0부터 99까지의 숫자의 합과 같습니다.

2 0부터 999까지의 자연수를 모두 세 자리 수로 생각하여 다음과 같이 씁니다.

$$
\begin{array}{cccccc}
000 & 001 & 002 & \cdots\cdots & 007 & 008 & 009 \\
010 & 011 & 012 & \cdots\cdots & 017 & 018 & 019 \\
 & & \vdots & & & \vdots & \\
990 & 991 & 992 & \cdots\cdots & 997 & 998 & 999
\end{array}
$$

0부터 999까지의 자연수의 개수는 1000개이고, 모두 세 자리 수이므로 숫자의 개수는 1000×3=3000(개)입니다.

해결 전략
0부터 999까지의 모든 자연수의 각 자리 숫자의 합은 0부터 999까지의 숫자의 합과 같습니다.

0부터 9까지 각 숫자의 개수는 모두 같으므로 3000÷10＝300(개)입니다.

5를 제외한 숫자의 합은 0＋1＋2＋3＋4＋6＋7＋8＋9＝40이므로 종이 위에 적힌 모든 숫자의 합은 40×300＝12000입니다.

최상위 사고력 0부터 9999까지의 자연수를 모두 네 자리 수로 생각하여 다음과 같이 씁니다.

0000	0000	0002	……	0007	0008	0009
0010	0010	0012	……	0017	0018	0019
⋮					⋮	
9990	9990	9992	……	9997	9998	9999

0부터 9999까지의 자연수의 개수는 10000개이고, 모두 네 자리 수이므로 숫자의 개수는 10000×4＝40000(개)입니다.

0부터 9까지 각 숫자의 개수는 모두 같으므로 40000÷10＝4000(개)입니다.

0＋1＋2＋……＋7＋8＋9＝45이므로 1부터 9999까지의 자연수의 모든 숫자의 합은 4000×45＝180000입니다.

따라서 마지막 수 10000에 1이 사용되므로 주어진 수의 모든 숫자의 합은 180000＋1＝180001입니다.

다른 풀이
수를 거꾸로 더하여 간단히 합을 구하는 방법을 이용합니다.

```
  0 ＋ 1 ＋ 2 ＋ 3 ＋……＋9998＋9999
 9999＋9998＋9997＋9996＋……＋ 1 ＋ 0
 9999＋9999＋9999＋9999＋……＋9999＋9999
```
                      10000개

9999가 10000개이므로 1부터 9999까지의 자연수의 모든 숫자의 합은
(9＋9＋9＋9)×10000÷2＝36×10000÷2＝360000÷2＝180000
따라서 마지막 수 10000에 1이 사용되므로 주어진 수의 모든 숫자의 합은
180000＋1＝180001입니다.

해결 전략
0부터 10000까지의 모든 자연수의 각 자리 숫자의 합은 0부터 10000까지의 모든 숫자의 합과 같습니다.

┃ 최상위 사고력 ┃   32~33쪽

1 771개, 2217개   **2** 48888번

3 740명   **4** 271개

1
- 7부터 777까지의 수의 개수는 $777-7+1=771$(개)입니다.
- 한 자리 수, 두 자리 수, 세 자리 수로 나누어 수의 개수를 구하여 숫자의 개수를 찾습니다.

자리 수	수의 개수	숫자의 개수
한 자리 수 (7~9)	3개	$1 \times 3 = 3$(개)
두 자리 수 (10~99)	90개	$2 \times 90 = 180$(개)
세 자리 수 (100~777)	678개	$3 \times 678 = 2034$(개)

➡ 숫자의 개수는 $3+180+2034=2217$(개)입니다.

따라서 7부터 777까지의 자연수를 쓸 때 수의 개수는 771개이고, 숫자의 개수는 2217개입니다.

보충 개념
(연속하는 수의 개수)=(끝수)-(시작수)+1

2 1부터 9999까지의 숫자의 개수와 ⊞의 개수, ⊟의 개수를 구하면 됩니다.

눌러야 하는 숫자의 개수는

1~9: 9개

10~99: $2 \times 90 = 180$(개)

100~999: $3 \times 900 = 2700$(개)

1000~9999: $4 \times 9000 = 36000$(개)이므로

모두 $9+180+2700+36000=38889$(개)입니다.

⊞은 9998번, ⊟은 1번 누르면 됩니다.

따라서 계산기 버튼을 모두 $38889+9998+1=48888$(번) 눌러야 합니다.

해결 전략
⊞은 수와 수 사이에만 누릅니다.

3

전교생 중에서 번호에 0 또는 1이 들어가는 학생 수

학년 \ 반	1	2	3	4	5
1	30	30	30	30	30
2	30	22	22	22	22
3	30	22	22	22	22
4	30	22	22	22	22
5	30	22	22	22	22
6	30	22	22	22	22

1학년 다섯 반과 각 학년의 1반 학생들의 번호에는 1이 들어갑니다.

➡ $30 \times 10 = 300$(명)

각 반의 1~20번, 21번, 30번 학생 22명의 번호에도 0 또는 1이 들어가므로 전교에서 나머지 $4 \times 5 = 20$(반)마다 22명의 학생의 번호에 0 또는 1이 들어갑니다.

➡ $20 \times 22 = 440$(명)

따라서 전교생 중에서 번호에 0 또는 1이 들어가는 학생은 모두 $300+440=740$(명)입니다.

해결 전략
학년과 반을 기준으로 표를 그려 생각합니다.

4 다음과 같이 수를 나누어 숫자 7이 들어있는 수의 개수를 구합니다.

1~99 : 19개

100~199 : 19개

200~299 : 19개

300~399 : 19개

400~499 : 19개

500~599 : 19개

600~699 : 19개

700~799 : 100개

800~899 : 19개

900~999 : 19개

따라서 필요한 상품은 모두 $19 \times 9 + 100 = 271$(개)입니다.

해결 전략
구간을 나누어 숫자 7이 들어있는 수의 개수를 구합니다.

보충 개념
1부터 99까지 숫자 7이 들어있는 수의 개수
일의 자리에 숫자 7이 들어있는 수:
7, 17, 27……77, 87, 97 ➡ 10개
십의 자리에 숫자 7이 들어있는 수:
70, 71, 72……77, 87, 79 ➡ 10개
이 중에서 77은 일의 자리와 십의 자리에 두 번 들어갔으므로 숫자 7이 들어있는 수는 $10 + 10 - 1 = 19$(개)입니다.

Review | 수

| 34~36쪽

1 2조 8700억개

2 310000000000

3 323장

4 63개

5 10236

6 6

---

1 1km는 1m의 1000배입니다.

$28\overline{7000}\overline{0000} \xrightarrow{\text{1000배}} 2\overline{8700}\overline{0000}\overline{0000}$

따라서 태양에서 천왕성까지의 거리는 1m짜리 자를 2조 8700억 개 겹치지 않게 붙여 놓은 것과 같습니다.

보충 개념
$1km = 1000m$

2 큰 수의 네 자리씩 읽는 단위를 나타내는 카드는 억 입니다.

가장 큰 수

삼 천 백 억

➡ 3100 0000 0000

따라서 만들 수 있는 수 중에서 가장 큰 수는 310000000000입니다.

해결 전략
조의 자리는 억의 자리 앞에 놓입니다.

3 1부터 99까지의 수 중에서 일의 자리와 십의 자리에 숫자 4가 들어있는 수를 각각 구합니다.

일의 자리에 숫자 4가 들어있는 수: 4, 14, 24……94 ➡ 10개

십의 자리에 숫자 4가 들어있는 수: 40, 41, 42……49 ➡ 10개

이 중에서 44는 두 번 들어있는 것이므로 숫자 4가 들어있는 수는 $10 + 10 - 1 = 19$(개)입니다.

해결 전략
범위를 나누어 구해 봅니다.

이와 같이 생각하면 100~199, 200~299, 300~399까지의 범위에도 각각 19개의 수에 숫자 4가 들어있으므로 1부터 399까지의 수 중에서 숫자 4가 들어있는 수는 $19 \times 4 = 76$(개)입니다.

마지막 수 400에도 숫자 4가 들어있으므로 1부터 400까지의 수 중에서 숫자 4가 들어있는 수는 $76 + 1 = 77$(개)입니다.

따라서 400장의 수 카드 중에서 숫자 4가 들어있는 수 카드 77장을 버리면 $400 - 77 = 323$(장)의 카드가 남습니다.

4 □152308 : 0을 제외한 1~9 ➡ 9개
1□52308 : 1을 제외한 0~9 ➡ 9개(위에서 찾은 1152308과 중복됨)
15□2308 : 5를 제외한 0~9 ➡ 9개(위에서 찾은 1552308과 중복됨)
152□308 : 2를 제외한 0~9 ➡ 9개(위에서 찾은 1522308과 중복됨)
1523□08 : 3을 제외한 0~9 ➡ 9개(위에서 찾은 1523308과 중복됨)
15230□8 : 0을 제외한 0~9 ➡ 9개(위에서 찾은 1523008과 중복됨)
152308□ : 8을 제외한 0~9 ➡ 9개(위에서 찾은 1523088과 중복됨)
따라서 원래의 수가 될 수 있는 수는 모두 $9 \times 7 = 63$(개)입니다.

해결 전략
152308에서 지운 자리의 숫자를 □라 하여 생각해 봅니다.

5 첫 번째 조건에서 각 자리 숫자가 모두 다른 다섯 자리 수이고, 두 번째 조건에서 0이 1개인 수 중에서 가장 작은 수를 찾아봅니다.

➡ | 1 | 0 | 2 | 3 | 5 |

세 번째 조건에서 가장 큰 숫자는 다른 자리의 숫자를 모두 더한 것과 같으므로 일의 자리의 숫자가 5가 아닌 $1 + 0 + 2 + 3 = 6$이 되어야 합니다.

➡ | 1 | 0 | 2 | 3 | 6 |

따라서 구하는 수는 10236입니다.

해결 전략
자리 표를 만들어 생각합니다.

6 1에서 9까지 쓰인 숫자의 개수 $1 \times 9 = 9$(개)와 10에서 99까지 쓰인 숫자의 개수 $2 \times 90 = 180$(개)를 빼면 $1500 - 189 = 1311$(개)의 숫자로 세 자리 수를 만듭니다.

$1311 \div 3 = 437$이므로 100부터 437번째 수는 536입니다.
따라서 슬기가 마지막에 입력한 숫자는 6입니다.

Ⅱ 측정

3학년에서는 생활 속의 사례를 통하여 각과 직각을 배웠다면 이 단원에서는 각의 크기가 정확히 제시되는 각도에 대해 배우게 됩니다.

4 삼각형과 각도에서는 마주 보는 각을 이용하거나 두 각의 합을 이용하는 등 각도를 구하기 위해 기본적으로 알아야 할 각도 구하는 방법에 대해 학습합니다.

5 다각형과 각도에서는 삼각형의 내각의 크기의 합과 다각형의 내각의 크기의 합을 이용하여 여러 가지 각도를 구해 보고, 종이 접기를 이용하여 각도의 응용 문제를 해결합니다.

6 시계와 각도에서는 먼저 시계의 규칙적인 움직임을 통해 시계의 긴바늘과 짧은바늘이 이루는 특정한 각($90°$, $180°$)이 주어진 시간 동안 몇 번 나오는지 알아봅니다. 긴바늘과 짧은바늘이 몇 분에 몇 도씩 움직이는지를 이용하여 두 바늘이 이루는 정확한 각도를 구합니다.

최상위 사고력 **4** **삼각형과 각도**

4-1. 직선과 각도 38~39쪽

1 12개	**2** $70°$	최상위 사고력 $145°$

저자 톡! 직선으로만 이루어진 그림에서 직각, 예각, 둔각에 대해 알아보고 두 직선이 만날 때 서로 마주 보고 있는 각(=맞꼭지각)은 크기가 서로 같다는 성질을 이용하여 각도의 합과 차를 구하는 내용입니다.

---

1 예각의 맞꼭지각도 예각이므로 빠뜨리지 않고 모두 찾으면 12개입니다.

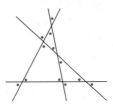

> **해결 전략**
> 예각을 점이나 기호로 표시하여 찾습니다.
>
> **보충 개념**
> 예각: 각도가 $0°$보다 크고 직각보다 작은 각
> 둔각: 각도가 직각보다 크고 $180°$보다 작은 각

2 맞꼭지각은 크기가 서로 같으므로 ㉠=㉡+$70°$, ㉠-㉡=$70°$입니다.
따라서 ㉠과 ㉡의 각도의 차는 $70°$입니다.

> **해결 전략**
> 맞꼭지각은 크기가 서로 같다는 성질을 이용합니다.

> **다른 풀이**
> 보조선을 긋고 ㉡과 크기가 서로 같은 각을 표시하면 오른쪽과 같습니다.
> 맞꼭지각은 크기가 서로 같으므로 ㉠-㉡=$70°$입니다.
> 따라서 ㉠과 ㉡의 각도의 차는 $70°$입니다.

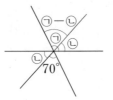

최상위 사고력 맞꼭지각은 크기가 서로 같으므로
㉢+㉠=$120°$이고, ㉢+㉡=$80°$입니다.
㉠+㉡=$90°$이므로
(㉠+㉡)+(㉢+㉠)+(㉢+㉡)=$90°+120°+80°$
(㉠+㉡+㉢)×2=$290°$, ㉠+㉡+㉢=$145°$입니다.
따라서 ㉠, ㉡, ㉢의 각도의 합은 $145°$입니다.

> **해결 전략**
> ㉠, ㉢의 맞꼭지각을 찾아 표시합니다.

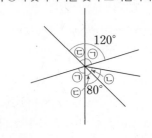

1 75°

2 40°

최상위 사고력 72°

저자 톡! 여러 개의 직각 삼각자를 겹치거나 붙여서 만든 각도를 구하는 내용입니다. 직각삼각형에서 직각이 아닌 나머지 두 각의 크기의 합은 90°임을 이용하도록 합니다.

1 삼각형의 세 각의 크기의 합은 180°이므로
ⓛ+45°+30°=180°,
ⓛ=180°-45°-30°=105°입니다.
일직선에 놓이는 각의 크기의 합은 180°이므로
㉠+105°=180°, ㉠=180°-105=75°입니다.
따라서 ㉠의 각도는 75°입니다.

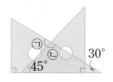

보충 개념
삼각형의 세 각의 크기의 합은 180°이고.
일직선에 놓이는 각의 크기의 합은 180°입니다.

2 삼각형의 세 각의 크기의 합은 180°이므로
삼각형 ㄱㄴㄹ에서 ㉠+㉣=90°입니다.
㉠+㉣=90°이고, ⓛ+㉣=90°이므로
㉠=ⓛ입니다.
㉠+ⓛ=100°이므로 ㉠=100°÷2=50°입니다.
삼각형의 세 각의 크기의 합은 180°이므로 삼각형 ㄱㄴㄷ에서
ⓒ=180°-㉠-90°=180°-50°-90°=40°입니다.
따라서 ⓒ의 각도는 40°입니다.

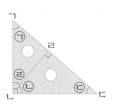

해결 전략
만들어진 삼각형에는 크고 작은 직각삼각형이 3개 있습니다. 직각삼각형에서 직각이 아닌 나머지 두 각의 크기의 합은 90°임을 이용하면 ㉠과 ⓛ의 각도는 서로 같습니다.

다른 풀이
삼각형 ㄱㄴㄷ에서 ㉠+ⓒ=90°이고,
삼각형 ㄴㄷㄹ에서 ⓛ+ⓒ=90°이므로
㉠+ⓛ+ⓒ+ⓒ=180°입니다.
㉠+ⓛ=100°이므로
ⓒ+ⓒ=180°-100°=80°, ⓒ=40°입니다.

최상위 사고력 삼각형의 세 각의 크기의 합은 180°이므로
삼각형 ㄱㅁㅂ에서
㉣=180°-34°-100°=46°입니다.
직각삼각형 ㄱㄴㅁ과 직각삼각형 ㄱㄹㅂ에서
㉠과 ⓛ의 크기가 같으므로 두 직각삼각형의
나머지 한 각인 ㅁ과 ㅂ의 크기도 같습니다.
직각삼각형으로 이루어진 도형은 직사각형이므로
ㅁ+34°+ㅂ=90°,
ㅁ+ㅂ=90°-34°=56°, ㅂ×2=56°, ㅂ=28°입니다.
직각삼각형 ㄱㄹㅂ에서
ⓛ=180°-90°-ㅂ=180°-90°-28°=62°이므로
ⓒ=180°-ⓛ-㉣=180°-62°-46°=72°입니다.
따라서 ⓒ의 각도는 72°입니다.

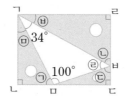

해결 전략
두 직각삼각형에서 직각이 아닌 한 각의 크기가 같으면 나머지 한 각의 크기도 같음을 이용합니다.

1 110°   **2** 180°   최상위 사고력 50°

저자 톡! 각각의 각도는 정확히 알 수 없지만 각도의 합 또는 차가 주어질 때 주어진 각도를 구하는 문제입니다. 각도의 합 또는 차를 한 덩어리로 생각하여 주어진 각도를 구하도록 합니다.

1 삼각형 ㄱㄴㄷ의 세 각의 크기의 합은 180°이므로
$40° + ● + ● + ■ + ■ = 180°$,
$● + ● + ■ + ■ = 140°$, $● + ■ = 70°$입니다.
따라서 삼각형 ㄹㄴㄷ에서
(각 ㄴㄹㄷ)$= 180° - (● + ■)$
$= 180° - 70°$
$= 110°$입니다.

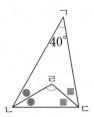

해결 전략
각 ㄴㄹㄷ의 크기는 삼각형 ㄹㄴㄷ에서 ●와 ■의 각도의 합을 알면 구할 수 있습니다.

2 삼각형 ㄱㄴㄹ의 세 각의 크기의 합은 180°이므로
$● + ● + ■ + ■ + 60° = 180°$,
$● + ● + ■ + ■ = 120°$,
$● + ■ = 60°$입니다.
(각 ㄱㅂㄴ)$= 180° - (● + ■)$
$= 180° - 60°$
$= 120°$

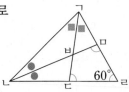

보충 개념
삼각형의 세 각의 크기의 합은 180°이고, 사각형의 네 각의 크기의 합은 360°입니다.

맞꼭지각은 크기가 서로 같으므로 (각 ㄱㅂㄴ)=(각 ㅁㅂㄷ)입니다.
사각형의 네 각의 크기의 합은 360°이므로 사각형 ㅁㅂㄷㄹ에서
(각 ㄱㄷㄹ)+(각 ㄴㅁㄹ)$= 360° - 120° - 60° = 180°$입니다.

최상위 사고력 삼각형 ㄴㄷㄹ에서
(각 ㄷㄴㄹ)+(각 ㄷㄹㄴ)$= 180° - 80°$
$= 100°$입니다.
일직선에 놓이는 각의 크기의 합은 180°이므로
(각 ㄷㄴㄹ)$+ ● + ● = 180°$이고,
(각 ㄷㄹㄴ)$+ ■ + ■ = 180°$입니다.
(각 ㄷㄴㄹ)$+ ● + ● +$(각 ㄷㄹㄴ)$+ ■ + ■ = 180° + 180°$,
(각 ㄷㄴㄹ)+(각 ㄷㄹㄴ)$+ ● + ● + ■ + ■ = 360°$,
$100° + ● + ● + ■ + ■ = 360°$,
$● + ● + ■ + ■ = 260°$,
$● + ■ = 130°$입니다.
따라서 삼각형의 세 각의 크기의 합은 180°이므로 삼각형 ㄴㄹㅂ에서
(각 ㄴㅂㄹ)$= 180° - (● + ■) = 180° - 130° = 50°$입니다.

주의
각 ㄷㄴㄹ과 각 ㄷㄹㄴ의 크기를 각각 구하려고 하면 안 됩니다.

1 5개　　　　　　　　　　　　　　**2** 84°

3 180°　　　　　　　　　　　　　　**4** 70°

1 삼각형의 세 각의 크기의 합은 180°이므로
삼각형 ㄴㄷㄹ에서

ㄴ=180°−90°−60°=30°입니다.

ㄴ=30°이므로 ㄱ=90°−30°=60°입니다.

삼각형 ㄱㄴㅁ에서 ㄱ=60°이므로

ㄷ=180°−60°−45°=75°입니다.

ㄷ과 ㅁ은 맞꼭지각이므로 ㅁ=75°입니다.

일직선에 놓이는 각의 크기의 합은 180°이고,

ㄷ=75°이므로 ㄹ=180°−75°=105°입니다.

삼각형 ㄴㄷㅁ에서 ㄴ=30°, ㄹ=105°이므로

ㅅ=180°−30°−105°=45°입니다.

ㅅ=45°이므로 ㅂ=90°−45°=45°입니다.

따라서 크기가 서로 다른 각은 30°, 45°, 60°, 75°, 105°로 모두 5개
입니다.

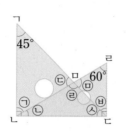

> **보충 개념**
> 맞꼭지각의 크기는 서로 같습니다.
> ㄷ+ㄹ=180°, ㄹ+ㅁ=180°
> ➡ ㄷ=ㅁ

2 삼각형 ㄴㄷㄹ에서 ㄴ+ㄹ=90°이고,
삼각형 ㄴㄹㅂ에서 ㄷ+ㅁ=90°입니다.
일직선에 놓이는 각의 크기의 합은 180°이
므로 96°+ㄴ+ㄷ=180°이고,
ㄹ+ㅁ+ㄱ=180°입니다.
(96°+ㄴ+ㄷ)+(ㄹ+ㅁ+ㄱ)=360°,
96°+(ㄴ+ㄹ)+(ㄷ+ㅁ)+ㄱ=360°,
96°+90°+90°+ㄱ=360°, ㄱ=84°입니다.
따라서 ㄱ의 각도는 84°입니다.

> **해결 전략**
> 직각삼각형에서 직각이 아닌 나머지 두 각
> 의 크기의 합이 90°임을 이용합니다.

3 두 직사각형을 겹쳐 그렸으므로 색칠한 삼각형은 모두 직각삼각형입니다.
직각삼각형 가에서 나머지 한 각의 크기를 ●라
라 하고, 맞꼭지각의 크기는 서로 같다는 성질
과 직각삼각형에서 직각이 아닌 나머지 두 각의
크기의 합이 90°인 성질을 이용하여 ㄱ과 ●의
각의 크기와 같은 크기의 각을 표시하면 오른
쪽과 같습니다.
따라서 ㄱ과 ㄴ의 각도의 합은 180°입니다.

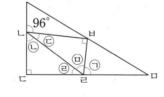

> **해결 전략**
> 두 직각삼각형에서 직각이 아닌 한 각의 크
> 기가 같으면 나머지 한 각의 크기도 같음을
> 이용합니다.

4 점 ㄴ을 중심으로 시계 방향으로 $40°$만큼 돌리면
변 ㄴㄷ은 변 ㄴㅁ이 되므로
(각 ㄷㄴㅁ)=$40°$이고,
(각 ㄱㄷㄴ)=(각 ㄹㅁㄴ)
$$=180°-60°-90°=30°입니다.$$
삼각형 ㅂㄴㅁ에서
(각 ㄴㅂㅁ)=$180°-40°-30°=110°$이고,
일직선에 놓이는 각의 크기의 합은 $180°$이므로
㉠=$180°-110°=70°$입니다.

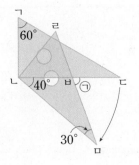

> **해결 전략**
> 돌린 각도의 크기와 같은 크기의 각도는 어느 각인지 먼저 찾아봅니다.

최상위 사고력 **5** **다각형과 각도**

5-1. 삼각형으로 각도 구하기
46~47쪽

1 $76°, 75°$　　　　　**2** $15°$　　　　最上위 사고력 $20°$

저자 톡! 다양한 모양의 도형 속에서 외각의 성질을 이용하여 주어진 각도를 구하는 내용입니다. 외각의 성질을 이용하기 위해서 삼각형을 다양하게 찾는 시도를 해 봅니다.

1 삼각형 ㄱㅅㄹ의 한 외각인 (각 ㄴㅅㅂ)=$50°+30°=80°$이므로
삼각형 ㅂㄴㅅ에서 (각 ㄴㅂㅅ)=$180°-24°-80°=76°$입니다.
삼각형 ㄱㄷㅁ의 한 외각인 (각 ㄹㅁㅇ)=$50°+25°=75°$이므로
삼각형 ㅁㅇㄹ에서 (각 ㅁㅇㄹ)=$180°-75°-30°=75°$입니다.
따라서 각 ㄴㅂㅅ과 각 ㅁㅇㄹ의 크기를 차례로 구하면 $76°, 75°$입니다.

> **보충 개념**
> 내각: 도형에서 변으로 둘러싸인 안쪽의 각
> 외각: 도형의 한 변을 늘였을 때 바깥쪽에 만들어지는 각
>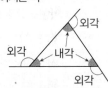

2 각 ㄱㄴㅁ과 각 ㅁㄷㄷ의 크기가 같고,
각 ㅁㄷㄹ과 각 ㄹㄷㅂ의 크기가 같으므로
오른쪽과 같이 표시합니다.
삼각형 ㄱㄴㄷ에서 외각인 각 ㄱㄷㅂ의 크기
는 이웃하지 않는 두 내각의 크기의 합과 같
으므로
$30°+●+●=■+■, ■+■-●-●=30°,$
$■-●=15°$입니다.
삼각형 ㄹㄷㄷ에서 외각인 각 ㄹㄷㅂ의 크기는 이웃하지 않는 두 내각의
크기의 합과 같으므로
●+(각 ㄴㄹㄷ)=■입니다.
따라서 (각 ㄴㄹㄷ)=■-●=$15°$입니다.

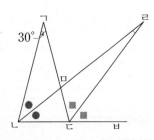

> **해결 전략**
> 삼각형의 외각의 성질을 이용합니다.

최상위 사고력 삼각형 ㄱㄴㄷ에 각 ㄱㄴㄷ과 각 ㄱㄷㄴ을 이등분하는 선분을 각각 그었으므로 오른쪽과 같이 표시합니다.

삼각형 ㅁㄴㄷ에서 ●+■+■=130°이고,

삼각형 ㄹㄴㄷ에서 ●+●+■=110°이므로

(●+■+■)+(●+●+■)=130°+110°,

●+■=80°입니다.

따라서 삼각형 ㄱㄴㄷ에서

(각 ㄴㄱㄷ)=180°−(●+■)×2

＝180°−80°×2=20°입니다.

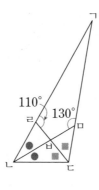

> **해결 전략**
> 삼각형의 외각의 성질을 이용합니다.

5-2. 다각형의 내각의 크기의 합

48~49쪽

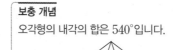

1 360°	2 540°	최상위 사고력 360°

저자 톡! 앞에서 학습하였던 삼각형의 맞꼭지각의 성질, 외각의 성질 등을 다양하게 이용하여 다각형의 내각의 크기의 합을 구하는 내용입니다. 식을 세워 해결하기보다 효율적인 해결 방법을 생각하도록 합니다.

1 일직선에 놓이는 각의 크기의 합은 180°이므로

㉠=180°−▲, ㉡=180°−●,

㉢=180°−♥, ㉣=180°−★,

㉤=180°−■입니다.

오각형의 내각의 합은 180°×3=540°이므로

▲+●+♥+★+■=540°입니다.

㉠+㉡+㉢+㉣+㉤

=(180°−▲)+(180°−●)+(180°−♥)+(180°−★)+(180°−■)

=900°−(▲+●+♥+★+■)=900°−540°=360°입니다.

> **보충 개념**
> 오각형의 내각의 합은 540°입니다.
>
>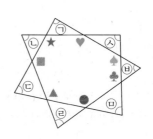
> 180°×3=540°

2 도형의 안쪽에 있는 칠각형은 내각의 합이 180°×5=900°이므로

●+▲+■+★+♥+♠+♣=900°입니다.

사각형의 내각의 합을 이용하면 다음과 같은 식이 나옵니다.

㉠+㉢+●+㉥=360° ➡ ㉠+㉢+㉥=360°−●

㉡+▲+㉤+㉦=360° ➡ ㉡+㉤+㉦=360°−▲

㉠+■+㉣+㉥=360° ➡ ㉠+㉣+㉥=360°−■

★+㉢+㉤+㉦=360° ➡ ㉢+㉤+㉦=360°−★

㉡+㉣+㉥+♥=360° ➡ ㉡+㉣+㉥=360°−♥

㉠+㉢+㉤+♠=360° ➡ ㉠+㉢+㉤=360°−♠

㉡+㉣+♣+㉦=360° ➡ ㉡+㉣+㉦=360°−♣

위의 7개의 식을 모두 더하면

33 정답과 풀이

(㉠+㉡+㉢+㉣+㉤+㉥+㉦)×3
=360°×7−(●+▲+■+★+♥+♠+♣)
=2520°−900°=1620°입니다.
➡ ㉠+㉡+㉢+㉣+㉤+㉥+㉦=1620°÷3=540°

최상위 사고력 맞꼭지각은 크기가 서로 같으므로 ㉠=㉡입니다.
㉠=㉡이고, ㉡+㉢=㉣이므로
㉠+㉢=㉣입니다.
따라서 표시된 5개의 각도의 합은
(㉠+㉢)+㉤+㉥+㉦
=㉣+㉤+㉥+㉦
=(색칠한 도형인 사각형의 네 각의 크기의 합)
=360°입니다.

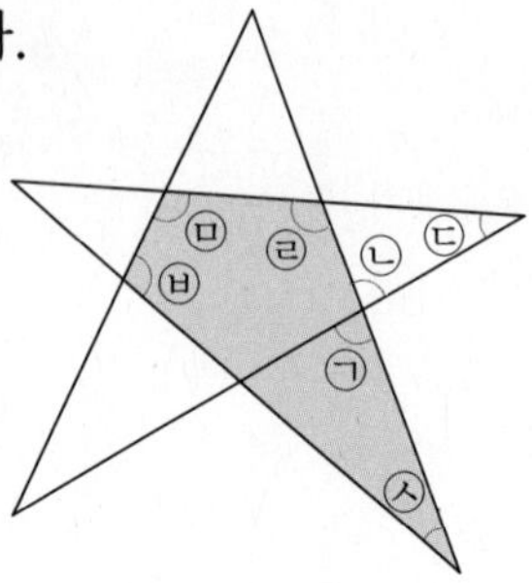

보충 개념
삼각형의 한 외각의 크기는 이웃하지 않는 두 내각의 크기의 합과 같습니다.

5-3. 접기와 각도

50~51쪽

1 40° 2 60° 최상위 사고력 60°

저자 톡! 종이 접기는 평면이 아닌 공간 감각이 필요하여 어렵게 느껴질 수 있습니다. 종이를 접기 전 부분과 접힌 부분은 모양과 크기가 같다는 것에 초점을 두어 해결하도록 합니다.

1 ㉡은 70°가 접힌 부분이므로 70°입니다.
일직선에 놓이는 각의 크기의 합은 180°이므로
㉢=180°−(70°+70°)=40°입니다.
사각형의 네 각의 크기의 합은 360°이므로
㉣=360°−90°−90°−㉢=180°−40°=140°입니다.
따라서 ㉠=180°−㉣=180°−140°=40°입니다.

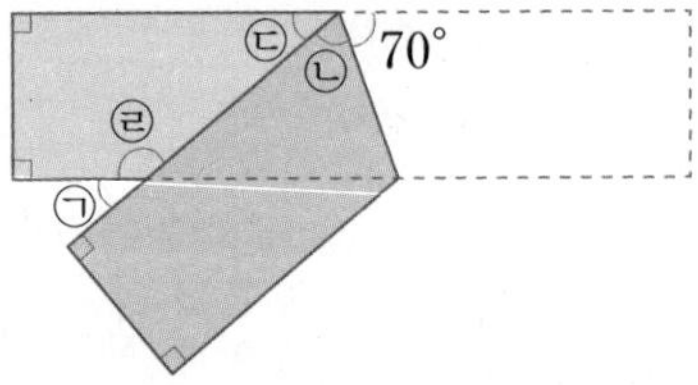

2 접기 전 부분과 접힌 부분의 모양과 크기가 같으므로
(각 ㄴㅂㄷ)=(각 ㄴㅁㄷ), (각 ㅂㄴㄷ)=(각 ㄷㄴㅁ),
(각 ㅂㄷㄴ)=(각 ㄴㄷㅁ)입니다.
(각 ㅂㄴㄷ)+(각 ㄷㄴㅁ)+40°=180°,
(각 ㅂㄴㄷ)+(각 ㄷㄴㅁ)=180°−40°=140°이고,
(각 ㅂㄴㄷ)=(각 ㄷㄴㅁ)이므로
(각 ㅂㄴㄷ)=(각 ㄷㄴㅁ)=70°입니다.
(각 ㅂㄷㄴ)+(각 ㄴㄷㅁ)+20°=180°,
(각 ㅂㄷㄴ)+(각 ㄴㄷㅁ)=180°−20°=160°이고,
(각 ㅂㄷㄴ)=(각 ㄴㄷㅁ)이므로 (각 ㅂㄷㄴ)=(각 ㄴㄷㅁ)=80°입니다.

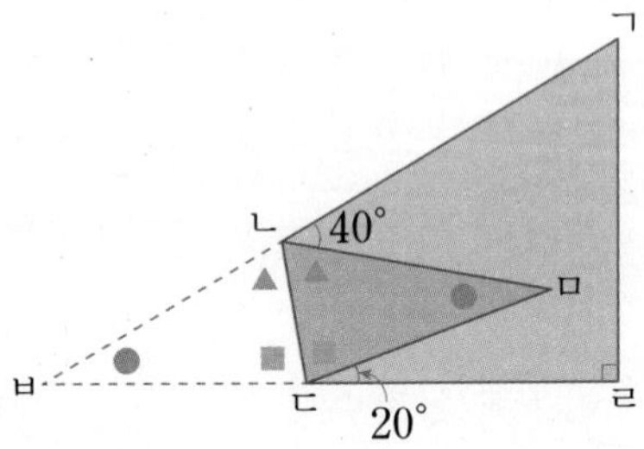

삼각형 세 각의 크기의 합은 $180°$이므로 삼각형 ㄴㅂㄷ에서
(각 ㄴㅂㄷ)$=180°-80°-70°=30°$입니다.
따라서 (각 ㄴㄱㄹ)$=180°-30°-90°=60°$입니다.

두 번째에 종이를 접기 전 부분과 접힌 부분의 크기가 같으므로
ⓒ, ㉣과 같은 각을 표시합니다.

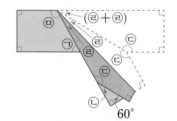

ⓛ$=180°-60°-90°=30°$, ⓒ$=180°-$ⓛ$=180°-30°=150°$
종이를 한 번 접었을 때 없어진 부분의 모양은 사각형이므로
㉣$+$㉣$+$ⓒ$+90°+90°=360°$,
㉣$+$㉣$+150°+180°=360°$,
㉣$+$㉣$=30°$, ㉣$=15°$입니다.
종이를 한 번 접을 때의 각도는 ㉣$+$㉣$=30°$이므로
ⓜ$=180°-$㉣$×4=180°-60°=120°$입니다.
따라서 ㉠을 포함하는 사각형에서
㉠$=360°-(90°+90°+$ⓜ$)=360°-(90°+90°+120°)=60°$입니다.

최상위 사고력

1 $140°$

2 $540°$

3 $120°$

4 $100°$

---

1 삼각형 ㄱㄷㄹ에서 ㉠$+40°+$ⓜ$+$㉣$=180°$이므로
㉠$+$ⓜ$+$㉣$=140°$입니다.
삼각형 ㅁㄴㄷ에서 ⓛ$+$ⓒ$=$ⓜ입니다.
따라서 ㉠$+$ⓛ$+$ⓒ$+$㉣$=$㉠$+$ⓜ$+$㉣$=140°$입니다.

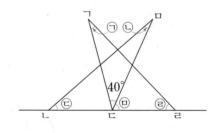

2 오른쪽과 같이 보조선을 그어 보면
㉠$+$ⓛ$=$ⓜ$+$ⓗ, ⓒ$+$㉣$=$ⓢ$+$ⓞ입니다.
따라서 표시된 9개의 각도의 합은 오각형의 내각
의 크기의 합과 같으므로 $180°×3=540°$입니다.

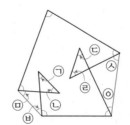

보충 개념

맞꼭지각의 크기가 서로 같은 두 삼각형에
서 나머지 두 각의 크기의 합은 같습니다.

㉠$+$ⓛ$+●=180°$,
ⓒ$+$㉣$+●=180°$

㉠$+$ⓛ$+●=$ⓒ$+$㉣$+●$
➡ ㉠$+$ⓛ$=$ⓒ$+$㉣

3 크기가 같은 각을 표시하면 오른쪽과 같습니다.
찾을 수 있는 서로 다른 각은
●, ▲, ●$+$▲, ●$+$▲$+●$,
▲$+●+$▲, ●$+$▲$+●+$▲로 6개입니다.

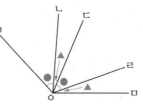

해결 전략

각이 1개, 2개, 3개, 4개로 이루어진 경우로
나누어 찾아봅니다.

6개의 각의 크기의 합이 $420°$이므로

$●+▲+(●+▲)+(●+▲+●)+(▲+●+▲)+(●+▲+●+▲)=(●+▲)×7=420°$,

$●+▲=60°$입니다.

따라서 (각 ㄱㅇㅁ)$=●+▲+●+▲=60°+60°=120°$입니다.

4 크기가 같은 각을 표시하면 오른쪽과 같습니다.

일직선에 놓이는 각의 크기의 합은 $180°$이므로

$●+●+20°+▲+▲=180°$,

$●+●+▲+▲=180°-20°=160°$,

$●+▲=80°$입니다.

삼각형 ㄱㄴㄷ에서 ㉠$+●+90°=180°$이고,

삼각형 ㄱㄹㅁ에서 ㉡$+▲+90°=180°$이므로

(㉠$+●+90°$)$+$(㉡$+▲+90°$)$=180°+180°$,

㉠$+$㉡$+●+▲+180°=360°$,

㉠$+$㉡$+●+▲=360°-180°=180°$입니다.

따라서 $●+▲=80°$이므로

㉠$+$㉡$+80°=180°$, ㉠$+$㉡$=180°-80°=100°$입니다.

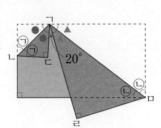

> **해결 전략**
> 접기 전 부분과 접힌 부분은 각의 크기가 같음을 이용합니다.

6-1. 각도와 횟수   54~55쪽

1 ②, ④ | **2** 6번, 5번 | _{최상위 사고력} 44번

> **저자 톡!** 일정한 시간 동안 시계의 긴바늘과 짧은바늘이 특정한 각도를 이루는 횟수를 구하는 내용입니다. 머릿속으로만 생각하여 구하면 실수하기 쉬우므로 시간을 나누어 구하도록 합니다.

1 큰 눈금 12칸이 $360°$이므로 큰 눈금 한 칸은 $360°÷12=30°$입니다.
예각은 $0°$보다 크고 직각보다 작은 각이므로 긴바늘과 짧은바늘이 이루는 작은 쪽의 각이 큰 눈금 3칸보다 작게 되는 시각을 고릅니다.

> **해결 전략**
> 긴바늘과 짧은바늘이 이루는 작은 쪽의 각이 예각이 되려면 큰 눈금 몇 칸보다 작아야 하는지 생각합니다.

따라서 긴바늘과 짧은바늘이 이루는 작은 쪽의 각이 예각인 시각은
② 3시 30분, ④ 7시 50분입니다.

2 • 오후 1시부터 오후 7시까지 시계의 긴바늘과 짧은바늘이 겹쳐지는
횟수

 ➡ 6번

• 오후 1시부터 오후 7시까지 시계의 긴바늘과 짧은바늘이 일직선이 되
는 횟수

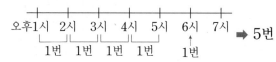 ➡ 5번

주의
시계의 긴바늘과 짧은바늘이 일직선이 되는
경우는 6시를 지난 후 7시까지 한 번도 일
어나지 않습니다.

**최상위
사고력**

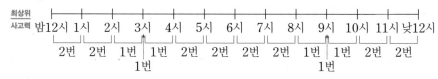

오전 12시간 동안 시계의 긴바늘과 짧은바늘이 직각을 이루는 경우는
22번이므로 오후 12시간 동안에도 22번입니다.

따라서 자정부터 다음날 자정까지 24시간 동안 시계의 긴바늘과 짧은바
늘이 직각을 이루는 경우는 모두 22＋22＝44(번)입니다.

해결 전략
오전 1시부터 오전 2시까지 시계의 긴바늘
과 짧은바늘이 직각을 이루는 경우는 2번입
니다.

6-2. 시곗바늘이 움직인 각도
56~57쪽

| **1** 220° | **2** 9시 5분 | **최상위 사고력** 6시 10분 |

저자 톡! 시계의 긴바늘과 짧은바늘은 일정한 시간 동안 일정한 각도만큼 움직이는 규칙이 있습니다. 두 바늘이 일정한 시간 동안 각각 몇 도
만큼 움직이고, 또 그 차이는 얼마나 나는지 자세히 살펴보도록 합니다.

1 준수가 숙제를 한 시간은 오후 6시 4분－오후 5시 24분＝40(분)입니다.

긴바늘은 1시간에 360°, 10분에 60°를 움직이므로

40분에 60°×4＝240°를 움직입니다.

짧은바늘은 1시간에 30°, 10분에 5°를 움직이므로

40분에 5°×4＝20°를 움직입니다.

따라서 준수가 숙제를 하는 동안 시계의 긴바늘과 짧은바늘이

움직인 각도의 차는 240°－20°＝220°입니다.

보충 개념

긴바늘이 움직이는 각도

1시간 ➡ 360°
30분 ➡ 180°
10분 ➡ 60°
5분 ➡ 30°
1분 ➡ 6°

짧은바늘이 움직이는 각도

12시간 ➡ 360°
1시간 ➡ 30°
30분 ➡ 15°
10분 ➡ 5°
2분 ➡ 1°

2 긴바늘은 1시간에 360°, 5분에 30°를 움직입니다.
긴바늘이 210°를 움직이는데 걸리는 시간은
210°÷30°＝7이므로 7×5＝35(분)입니다.
따라서 8시 30분＋35분＝9시 5분입니다.

해결 전략
긴바늘이 210°를 움직이려면 몇 분을 움직여야 하는지 생각합니다.

최상위 사고력 긴바늘은 1시간에 360°, 10분에 60°를 움직이고,
짧은바늘은 1시간에 30°, 10분에 5°를 움직이므로
긴바늘은 짧은바늘보다 10분에 60°－5°＝55°를 더 움직입니다.
긴바늘이 짧은바늘보다 165°를 더 움직인 시간은
165°÷55°＝3이므로 10×3＝30(분)입니다.
따라서 진우가 청소를 끝낸 시각은
5시 40분＋30분＝6시 10분입니다.

해결 전략
긴바늘은 짧은바늘보다 10분에 몇 도씩 더 움직이는지 생각합니다.

6-3. 시곗바늘이 이루는 각도

1 예 큰 눈금 7에서 작은 눈금으로 2칸 더 간 곳을 가리킵니다.

2 145°　　　　　　　　　　　**최상위 사고력** 70°

저자 톡! 앞에서 학습한 일정한 시간 동안 시곗바늘이 움직인 각도를 기초로 어느 한 때의 긴바늘과 짧은바늘이 이루는 각도를 구하는 내용입니다. 긴바늘이 큰 눈금을 가리킬 때 짧은바늘이 움직인 각도에 주목하여 해결하도록 합니다.

1 짧은바늘은 1시간에 30°, 2분에 1°를 움직이므로 24분에
1°×12＝12°를 움직입니다.

해결 전략
긴바늘이 정각부터 24분 움직일 동안 짧은바늘은 몇 도 움직이는지 생각합니다.

큰 눈금 사이에 있는 작은 눈금 1칸의 각도는 30°÷5＝6°이므로
7시 24분에 짧은바늘은 큰 눈금 7에서 작은 눈금으로 2칸 더 간 곳을
가리킵니다.

2 큰 눈금 한 칸이 30°이고, ㉠이 이루는 각도는 큰
눈금 4칸이므로 30°×4＝120°입니다.
짧은바늘은 1시간에 30°, 10분에 5°를 움직이므로
50분에 25°를 움직입니다.
따라서 긴바늘과 짧은바늘이 이루는 작은 쪽의 각
의 크기는 120°＋25°＝145°입니다.

해결 전략
㉠의 각도는 큰 눈금 한 칸의 크기를 이용하여 구하고, ㉡의 각도는 짧은바늘이 50분 동안 움직이는 각도를 이용하여 구합니다.

짧은바늘이 큰 눈금 3을 가리킨다고 생각하여 두 바늘이 이루는 각(㉠)을 구한 후, 3시가 되기 전 남은 10분 동안 짧은바늘이 움직인 각도(㉡)를 뺍니다.
큰 눈금 한 칸이 $30°$이고, ㉠이 이루는 각도는 큰 눈금 5칸이므로 $30° \times 5 = 150°$입니다.
짧은바늘은 10분에 $5°$씩 움직입니다.
따라서 긴바늘과 짧은바늘이 이루는 작은 쪽의 각의 크기는 $150° - 5° = 145°$입니다.

시계의 긴바늘과 짧은바늘이 이루는 작은 쪽의 각의 크기는 두 바늘이 가장 가까운 큰 눈금을 가리킨다고 가정하고 두 바늘이 이루는 각의 크기를 구한 후, 두 바늘이 몇 분 더 움직이는 동안 늘어나거나 줄어드는 각의 크기를 더하거나 빼어 구합니다.

최상위 사고력 1시간 50분 후의 시각은

3시 50분＋1시간 50분＝5시 40분입니다.

짧은바늘이 큰 눈금 5를 가리킨다고 생각할 때 긴바늘과 짧은바늘이 이루는 작은 각의 크기는

$30 \times 3 = 90°$(㉠)이고, 짧은바늘은 10분에 $5°$를 움직이므로

40분 동안 $5° \times 4 = 20°$(㉡)를 움직입니다.

따라서 긴바늘과 짧은바늘이 이루는 작은 쪽의 각의 크기는 $90° - 20° = 70°$입니다.

최상위 사고력 | 60~61쪽

1 4시, 8시 **2** 7시 45분

3 3시 50분 **4** $126°$

---

1 시계의 긴바늘과 짧은바늘이 이루는 작은 쪽의 각을 ■이라 하면 큰 쪽의 각은 ■×2입니다.
큰 쪽과 작은 쪽의 각도의 합은 $360°$이므로
■＋■×2＝■×3＝360°, ■=120°입니다.
시계가 정각이므로 긴바늘은 숫자 눈금 12를 가리키고
긴바늘과 짧은바늘의 작은 쪽의 각의 크기가 $120°$인 경우는
짧은바늘이 숫자 눈금 4 또는 숫자 눈금 8을 가리킬 때입니다.
따라서 4시와 8시입니다.

2 긴바늘은 짧은바늘보다 2분에 $11°$ 더 움직입니다.
긴바늘이 짧은바늘보다 $440°$ 더 움직인 시간은
$440° \div 11° = 40$이므로 $40 \times 2 = 80$(분)입니다.
지금 시각이 6시 25분이므로 80분 후의 시각은
6시 25분＋80분＝7시 45분입니다.

3 시계의 긴바늘은 1시간에 360°, 5분에 30°를 움직입니다.

긴바늘이 150° 움직이는데 걸린 시간은

$150° \div 30° = 5$이므로 $5 \times 5 = 25$(분)입니다.

짧은바늘은 1시간에 30°, 10분에 5°를 움직입니다.

짧은바늘이 20° 움직이는데 걸린 시간은

$20 \div 5 = 4$이므로 $10 \times 4 = 40$(분)입니다.

따라서 유미는 2시 45분부터 25분 동안 TV를 본 후,

40분 동안 목욕을 하였으므로 유미가 목욕을 끝낸 시각은

2시 45분+25분+40분=3시 50분입니다.

4 큰 눈금 한 칸이 이루는 각도는 $360° \div 10 = 36°$입니다.

큰 눈금 2부터 5까지의 각도(㉠)는 $36 \times 3 = 108°$

이고, 긴바늘이 5를 가리키므로 짧은바늘도 큰 눈금

1과 2의 한 가운데를 가리킵니다.

짧은바늘과 큰 눈금 2까지의 각도(㉡)는

$36° \div 2 = 18°$이므로

긴바늘과 짧은바늘이 이루는 작은 쪽의 각의 크기는

$108° + 18° = 126°$입니다.

> **해결 전략**
> 큰 눈금 한 칸이 이루는 각도는
> $360° \div 10 = 36°$입니다.

Review II 측정

1 45° **2** 75° **3** 720°

4 40° **5** 7시 10분 **6** 65°

1 ㉠의 맞꼭지각을 표시하면 오른쪽과 같습니다.

일직선에 놓이는 각의 크기는 180°이므로

$㉢ - ㉠ = 180° - (㉠ + ㉡)$

$\quad\quad = 180° - 135° = 45°$입니다.

따라서 ㉠과 ㉢의 각도의 차는 45°입니다.

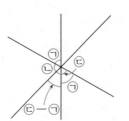

> **주의**
> ㉠과 ㉢의 각도를 각각 구하려고 하면 안 됩니다.

2 사각형 ㄱㄴㄷㄹ의 내각의 합은 360°이므로

$● + ● + ■ + ■ + 80° + 70° = 360°$,

$● + ● + ■ + ■ = 360° - 150° = 210°$,

$● + ■ = 105°$입니다.

삼각형 ㄱㅁㄹ에서

$(각 ㄱㅁㄹ) = 180° - (● + ■) = 180° - 105° = 75°$입니다.

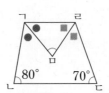

> **해결 전략**
> 삼각형 ㄱㅁㄹ의 세 각의 크기의 합에서 ●
> 와 ■의 크기의 합을 빼서 구합니다.

최상위 사고력 4A **40**

3 표시된 각은 2개의 사각형의 내각이므로 표시된 8개의 각도의 합은
360°＋360°＝720°입니다.

해결 전략
표시된 각은 어떤 도형의 일부분의 각인지
도형을 나누어 생각합니다.

4 성호가 피아노 연습을 한 시간은
6시 10분－4시 50분＝1시간 20분입니다.
짧은바늘은 1시간에 30°, 20분에 10°를 움직이므로 성호가 피아노
연습을 하는 동안 짧은바늘은 30°＋10°＝40°를 움직입니다.

5 짧은바늘은 10분에 5°를 움직입니다.
긴바늘과 짧은바늘이 이루는 작은 쪽의 각이 155°이려면
30°×5＋5°＝155°이므로
긴바늘에서 짧은바늘이 큰 눈금 5칸(＝150°)과 5°만큼 움직이면 됩니다.

해결 전략
긴바늘은 큰 눈금을 기준으로 몇 도만큼
움직인 것인지 생각합니다.

따라서 알맞은 시각은 7시 10분입니다.

6 접기 전 부분과 접힌 부분은 각의 크기가 같으므로 크기가 같은 각을 표
시합니다.

해결 전략
접기 전 부분과 접힌 부분은 각의 크기가
같음을 이용합니다.

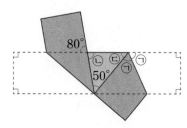

80°의 맞꼭지각 ⓛ＝80°이고,
삼각형의 세 각의 크기의 합은 180°이므로
ⓒ＝180°－80°－50°＝50°입니다.
일직선에 놓이는 각의 크기의 합은 180°이므로
ⓒ＋ⓐ＋ⓐ＝180°, 50°＋ⓐ＋ⓐ＝180°, ⓐ＋ⓐ＝130°,
ⓐ＝65°입니다.

Ⅲ 연산

이 단원에서는 (세 자리 수)×(두 자리 수), (두 자리 수)÷(두 자리 수), (세 자리 수)÷(두 자리 수)의 범위에서 곱셈과 나눗셈에 관한 다양한 주제를 다룹니다.

1 곱셈에서는 이집트 곱셈, 네이피어 곱셈 등의 다양한 곱셈 방법과 간단한 곱셈 방법을 소개하여 기계적인 과정으로써의 곱셈 방법을 일깨우고, 교과서에서 심화 주제로 자주 다뤄지는 큰 곱과 작은 곱을 학습합니다.

2 나눗셈에서는 나머지와 관련이 있는 주제인 '조건과 나눗셈', 남거나 모자란다는 뜻인 '과부족' 등 나눗셈에 대한 이해를 높일 수 있는 주제를 다룹니다.

3 연산 퍼즐에서는 앞에서 학습한 곱셈과 나눗셈을 활용하여 해결하는 문제인 벌레 먹은 셈, 복면산, 마방진을 학습하며 마무리합니다.

큰 수의 곱셈·나눗셈에서는 '어림하기'가 문제 해결의 시발점이 되는 경우가 많습니다. 정확히 답을 구하는 연습뿐만 아니라 어림하는 연습을 통해 수·연산 감각을 키울 수 있도록 합니다.

최상위 사고력 7 곱셈

7-1. 간단한 곱셈
66~67쪽

1 (1) $7800-78=7722$

(2)
$$
\begin{array}{r}
6\,2 \\
\times\,6\,8 \\
\hline
4\,2\,\vdots\,1\,6
\end{array}
$$
$6\times(6+1)$ 2×8

(3)
$$
\begin{array}{r}
8\,9 \\
\times\,2\,9 \\
\hline
2\,5\,\vdots\,8\,1
\end{array}
$$
$8\times2+9$ 9×9

최상위 사고력

(1) $3\times12\times25=3\times3\times4\times25=9\times100=900$

(2) $25\times125\times32=25\times125\times4\times8=25\times4\times125\times8$
$$=100\times1000$$
$$=100000$$

저자 톡! (두 자리 수)×(두 자리 수)는 우리가 일반적으로 알고 있는 방법을 이용하면 4번의 곱셈과 3번의 덧셈으로 계산하게 됩니다. 하지만 특수한 상황에서의 곱셈식은 의외로 간단히 계산할 수 있습니다. 규칙을 찾아 곱셈식을 간단히 계산하는 방법을 알아보고, 마법 같은 곱셈 방법을 통해 수학의 흥미를 느끼도록 합니다.

1 (1) 99를 곱하는 대신 100을 곱한 후 더 곱한 1만큼의 값을 **빼어주는** 곱셈 방법입니다.
$$
\begin{aligned}
78\times99 &= 78\times(100-1) \\
&= 78\times100-78 \\
&= 7800-78=7722
\end{aligned}
$$

(2) (십의 자리 숫자)×(십의 자리 숫자＋1)을 앞의 두 자리에 쓰고, 일의 자리 숫자의 곱을 뒤의 두 자리에 쓰는 곱셈 방법입니다.

$$
\begin{array}{r}
6\,2 \\
\times\,6\,8 \\
\hline
4\,2\,1\,6
\end{array}
$$
$6\times(6+1)$

(3) (십의 자리 숫자의 곱)＋(일의 자리 숫자)를 앞의 두 자리에 쓰고, 일의 자리 숫자의 곱을 뒤의 두 자리에 쓰는 곱셈 방법입니다.

보충 개념

분배법칙을 이용하여 곱을 간단히 할 수 있는 원리를 알아봅니다.

(2) $62\times68=(60+2)\times(60+8)$
$$
\begin{aligned}
&=60\times60+60\times8 \\
&\quad+2\times60+2\times8 \\
&=60\times(60+8+2)+2\times8 \\
&=60\times70+2\times8
\end{aligned}
$$

(3) $89\times29=(80+9)\times(20+9)$
$$
\begin{aligned}
&=80\times20+80\times9 \\
&\quad+9\times20+9\times9 \\
&=80\times20+(80+20)\times9 \\
&\quad+9\times9 \\
&=80\times20+100\times9 \\
&\quad+9\times9
\end{aligned}
$$

$$8 \quad 9$$
$$\times \ 2 \quad 9$$
$$\overline{2 \ 5 \ 8 \ 1}$$

^{최상위}
사고력 $4 \times 25 = 100$, $8 \times 125 = 1000$을 이용할 수 있도록 수를

4와 25가 있는 곱, 8과 125가 있는 곱으로 만듭니다.

7-2. 여러 가지 곱셈 방법 68~69쪽

1
$$\begin{array}{r} 7\ 4 \\ \times\ 9\ 8 \\ \hline 6\ 3\ 3\ 2 \\ 5\ 6 \\ 3\ 6 \\ \hline 7\ 2\ 5\ 2 \end{array}$$

2 5 3 6 , 12328

최상위
사고력 (1)

	21	×	13
∨	21		13
	10		26
∨	5		52
	2		104
∨	1		208
			273

(2)

	38	×	72
	38		72
∨	19		144
∨	9		288
	4		576
	2		1152
∨	1		2304
			2736

저자 톡! 오늘날 우리가 사용하고 있는 곱셈 방법은 고대의 곱셈 방법에 비해 간단하고 편리하지만 곱셈의 원리가 드러나지 않아서 기계적인 계산에 머물기 쉽습니다. 여러 가지 고대의 곱셈 방법에서 고대인들의 지혜를 느껴 봅니다.

---

1 ① 일의 자리 숫자끼리 곱한 값과 십의 자리 숫자끼리 곱한 값을 씁니다.

해결 전략
한 자리씩 나누어서 곱하는 방법을 생각해 봅니다.

$$\begin{array}{r} 7\ 4 \\ \times\ 9\ 8 \\ \hline 6\ 3\ 3\ 2 \end{array}$$

② ×자 모양으로 일의 자리 숫자와 십의 자리 숫자를 곱한 값을 씁니다.

$$\begin{array}{r} 7\ 4 \\ \times\ 9\ 8 \\ \hline 6\ 3\ 3\ 2 \\ 5\ 6 \\ 3\ 6 \end{array}$$

③ 같은 자리의 숫자끼리 더하여 곱을 구합니다.

$$\begin{array}{r} 7\ 4 \\ \times\ 9\ 8 \\ \hline 6\ 3\ 3\ 2 \\ 5\ 6 \\ 3\ 6 \\ \hline 7\ 2\ 5\ 2 \end{array}$$

2 네이피어 곱셈 방법의 규칙은 다음과 같습니다.

① 곱해지는 수의 자릿수만큼 가로줄 칸을, 곱하는 수의 자릿수만큼 세로줄 칸을 만들고 각 칸에 대각선을 그어 두 부분으로 나눕니다.

② 각 자리 숫자의 곱을 구하여 각 칸의 대각선 위쪽에 십의 자리 숫자를 쓰고, 아래쪽에는 일의 자리 숫자를 씁니다.

③ 대각선의 같은 줄에 있는 수들끼리 모두 더합니다. 이때, 덧셈한 값이 10이 넘으면 앞쪽으로 1을 받아올림합니다.

보충 개념

$1\ 2\ 3\ 2\ 8$
$1+1=2$ ⌐ $\llcorner 12$
$12+1=13$

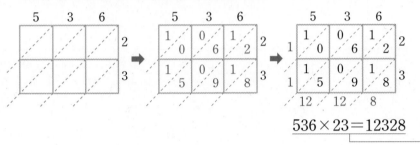

$$536 \times 23 = 12328$$

---

^{최상위}_{사고력} 왼쪽 세로줄에는 곱해지는 수를 1이 될 때까지 2로 나누어 몫을 쓰고, 오른쪽 세로줄에는 곱하는 수에 2를 계속 곱한 값을 씁니다.

그 다음 왼쪽 세로줄이 홀수일 때 오른쪽 세로줄의 수를 모두 더한 값이 두 수의 곱이 됩니다.

> **다른 풀이**
> 곱해지는 수와 곱하는 수의 자리를 바꾸어도 계산 결과는 같습니다.
> 따라서 $21 \times 13 = 13 \times 21$, $38 \times 72 = 72 \times 38$입니다.
>
> (1)
> | | 13 | $\times$ | 21 |
> |---|---|---|---|
> | $\vee$ | 13 | | 21 |
> | | 6 | | 42 |
> | $\vee$ | 3 | | 84 |
> | $\vee$ | 1 | | 168 |
>
> $273 \leftarrow 21+84+168=273$
>
> (2)
> | | 72 | $\times$ | 38 |
> |---|---|---|---|
> | | 72 | | 38 |
> | | 36 | | 76 |
> | | 18 | | 152 |
> | $\vee$ | 9 | | 304 |
> | | 4 | | 608 |
> | | 2 | | 1216 |
> | $\vee$ | 1 | | 2432 |
>
> $2736 \leftarrow 304+2432=2736$

보충 개념

곱해지는 수나 곱하는 수 중에서 두 배씩 계산하기 쉬운 것이나 반으로 나누기 쉬운 것을 선택합니다.

예 21×13
 • 21을 반으로 나누기
  $21 \rightarrow 10 \rightarrow 5 \rightarrow 2 \rightarrow 1$: 4번
 • 13을 반으로 나누기
  $13 \rightarrow 6 \rightarrow 3 \rightarrow 1$: 3번
➡ 13을 계산하는 것이 간단합니다.

7-3. 가장 큰 곱, 가장 작은 곱

70~71쪽

1 ㉢, ㉤, ㉠, ㉡, ㉣, ㉥   **2** 3

^{최상위}_{사고력}

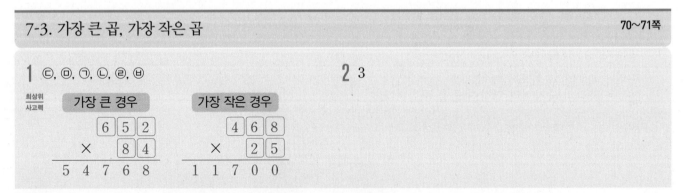

> **가장 큰 경우**
>
> | | 6 | 5 | 2 |
> |---|---|---|---|
> | $\times$ | | 8 | 4 |
>
> $5\ 4\ 7\ 6\ 8$

> **가장 작은 경우**
>
> | | 4 | 6 | 8 |
> |---|---|---|---|
> | $\times$ | | 2 | 5 |
>
> $1\ 1\ 7\ 0\ 0$

저자 톡! 수 카드로 (두 자리 수)×(두 자리 수) 또는 (세 자리 수)×(두 자리 수)를 만들 때 가장 큰 곱과 가장 작은 곱을 만드는 내용입니다. 곱을 만드는 방법을 무조건 암기하기보다 수의 관계를 따져서 그 원리를 파악하도록 합니다.

1 (두 자리 수)×(두 자리 수)를 다음과 같이 나타냅니다.

$$\begin{array}{r} ㉮\ ㉰ \\ \times\ ㉯\ ㉱ \end{array}$$

해결 전략
(두 자리 수)×(두 자리 수)의 계산 결과를 크게 만들거나, 작게 만들려면 3, 4, 6, 8을 어느 자리에 놓아야 하는지 생각해 봅니다.

두 수의 곱은 ㉮와 ㉯가 큰 수일수록 커지고, 작은 수일수록 작아집니다.
따라서 ㉢, ㉤>㉠>㉡>㉣, ㉥입니다.

① ㉢, ㉤의 크기 비교

$$\begin{array}{ccc} ㉢ & & ㉤ \\ \cancel{8}\,3 & & \cancel{8}\,4 \\ \times\ 6\,\cancel{4} & > & \times\ 6\,\cancel{3} \end{array}$$

➡ 가장 큰 십의 자리 숫자와 일의 자리 숫자의 곱이
㉢은 $8×4=32$, ㉤은 $8×3=24$이므로 ㉢이 더 큽니다.

② ㉣, ㉥의 크기 비교

$$\begin{array}{ccc} ㉣ & & ㉥ \\ \cancel{4}\,6 & & \cancel{4}\,8 \\ \times\ 3\,\cancel{8} & > & \times\ 3\,\cancel{6} \end{array}$$

➡ 가장 큰 십의 자리 숫자와 일의 자리 숫자의 곱이
㉣은 $4×8=32$, ㉥은 $4×6=24$이므로 ㉥이 더 작습니다.

따라서 곱셈 결과가 큰 곱셈식부터 차례로 쓰면
㉢, ㉤, ㉠, ㉡, ㉣, ㉥입니다.

보충 개념
남은 수 중에서 더 큰 수인 4가 가장 큰 십의 자리 숫자 8과 곱해지도록 넣어야 곱셈 결과가 가장 큽니다.

보충 개념
남은 수 중에서 더 작은 수인 6이 가장 큰 십의 자리 숫자 4와 곱해지도록 넣어야 곱셈 결과가 가장 작습니다.

2

$$\begin{array}{r} ㉮\ ㉰ \\ \times\ ㉯\ ㉱ \end{array}$$

• 가장 큰 곱
㉮, ㉯, ㉱, ㉰ 순서로 큰 수를 넣습니다. 즉, 십의 자리에 가장 큰 수와 두 번째로 큰 수를 넣고, 남은 두 수는 일의 자리에 넣습니다. 이때 일의 자리에 넣는 두 수 중 더 큰 수를 십의 자리의 더 큰 수와 곱해지도록 넣습니다.
따라서 4장의 수 카드 중에서 ㉠은 3보다 크거나 같고 6보다 작거나 같습니다.
➡ ㉠=3, 4, 5, 6

• 가장 작은 곱
㉮, ㉯, ㉰, ㉱ 순서로 작은 수를 넣습니다. 즉, 십의 자리에 가장 작은 수와 두번째로 작은 수를 넣고, 남은 두 수는 일의 자리에 넣습니다. 이때 일의 자리에 넣는 두 수 중 더 큰 수를 십의 자리의 더 작은 수와 곱해지도록 넣습니다.
따라서 4장의 수 카드 중에서 ㉠은 3보다 작거나 같습니다.
➡ ㉠=1, 2, 3

따라서 두 조건을 모두 만족하는 ㉠은 3입니다.

보충 개념
(두 자리 수)×(두 자리 수)가 가장 클 때는 큰 순서대로 알파벳 U 모양, 가장 작을 때는 작은 순서대로 알파벳 N을 뒤집은 И 모양으로 숫자를 써넣습니다.

× 가장 클 때

× 가장 작을 때

최상위 사고력

• 가장 큰 경우

(세 자리 수)×(두 자리 수)의 계산 결과가 가장 크려면 세 자리 수의
백의 자리와 두 자리 수의 십의 자리에 가장 큰 수와 두 번째로 큰 수
를 써넣어야 합니다.

해결 전략

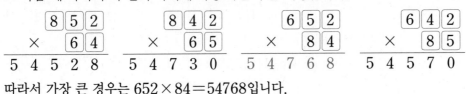

$$\begin{array}{r} ㉠㉡㉢ \\ \times \quad ㉣㉤ \end{array}$$

• 계산 결과가 가장 클 때
  : ㉣>㉠>㉡>㉤>㉢
• 계산 결과가 가장 작을 때
  : ㉣<㉠<㉤<㉡<㉢

$$\begin{array}{r} 8\square\square \\ \times \quad 6\square \end{array} \quad \text{또는} \quad \begin{array}{r} 6\square\square \\ \times \quad 8\square \end{array}$$

그 다음 세 자리 수의 일의 자리에 가장 작은 수를 써넣습니다.

$$\begin{array}{r} 8\,5\,2 \\ \times \quad 6\,4 \\ \hline 5\,4\,5\,2\,8 \end{array} \quad \begin{array}{r} 8\,4\,2 \\ \times \quad 6\,5 \\ \hline 5\,4\,7\,3\,0 \end{array} \quad \begin{array}{r} 6\,5\,2 \\ \times \quad 8\,4 \\ \hline 5\,4\,7\,6\,8 \end{array} \quad \begin{array}{r} 6\,4\,2 \\ \times \quad 8\,5 \\ \hline 5\,4\,5\,7\,0 \end{array}$$

따라서 가장 큰 경우는 652×84=54768입니다.

• 가장 작은 경우

(세 자리 수)×(두 자리 수)의 계산 결과가 가장 작으려면 세 자리 수
의 백의 자리와 두 자리 수의 십의 자리에 가장 작은 수와 두 번째로
작은 수를 써넣어야 합니다.

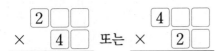

$$\begin{array}{r} 2\square\square \\ \times \quad 4\square \end{array} \quad \text{또는} \quad \begin{array}{r} 4\square\square \\ \times \quad 2\square \end{array}$$

그 다음 세 자리 수의 일의 자리에 가장 큰 수를 써넣습니다.

$$\begin{array}{r} 2\,6\,8 \\ \times \quad 4\,5 \\ \hline 1\,2\,0\,6\,0 \end{array} \quad \begin{array}{r} 2\,5\,8 \\ \times \quad 4\,6 \\ \hline 1\,1\,8\,6\,8 \end{array} \quad \begin{array}{r} 4\,6\,8 \\ \times \quad 2\,5 \\ \hline 1\,1\,7\,0\,0 \end{array} \quad \begin{array}{r} 4\,5\,8 \\ \times \quad 2\,6 \\ \hline 1\,1\,9\,0\,8 \end{array}$$

따라서 가장 작은 경우는 468×25=11700입니다.

최상위 사고력

72~73쪽

1 (1) 풀이 참조 (2) 풀이 참조

2
$$47 \times 36 = 1692$$

47	1
94	2
188	4 ∨
376	8
752	16
1504	32 ∨
1692	

3 380000

4 843500, 24440

1 (1) 14×32

① 곱해지는 수의 각 자리 숫자만큼 세로선을 긋습니다.

② 곱하는 수의 각 자리 숫자만큼 가로선을 긋습니다.

③ 오른쪽부터 가로선과 세로선이 만나는 점의 개수를 세어 곱을 구합니다.

주의

만나는 점의 개수가 10 또는 10보다 많으면 왼쪽으로 받아올림합니다.

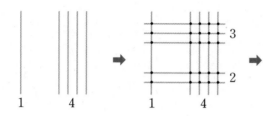

➡ $14 \times 32 = 448$

(2) 231×24

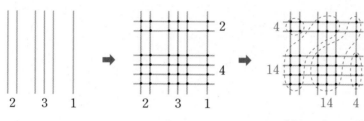

➡ $231 \times 24 = 5544$

지도 가이드

목수의 곱셈법은 일일이 선을 그어야 하기 때문에 시간이 많이 소요되지만 숫자를 시각적으로 파악할 수 있다는 장점이 있습니다.

2 오른쪽에는 1부터 2를 곱하여 아래에 쓰고, 왼쪽에는 곱해지는 수에 2를 계속 곱하여 아래에 씁니다. 그 다음 오른쪽 수 중에서 더했을 때 곱하는 수가 되는 수를 찾아 ∨표 하고, ∨표 한 수의 왼쪽에 있는 수를 모두 더한 값이 두 수의 곱이 됩니다.

해결 전략

고대 이집트에서는 2배한 수와 덧셈으로 곱셈을 할 수 있었습니다.

$$47 \times 36 = 1692$$

47	1
94	2
188	4 ∨
376	8
752	16
1504	32 ∨
1692	

$\quad$ └─ $4 + 32 = 36$

└─ $1504 + 188 = 1692$

다른 풀이

$$47 \times 36 = 1692$$

∨	1	36
∨	2	72
∨	4	144
∨	8	288
	16	576
∨	32	1152
		1692

$1 + 2 + 4 + 8 + 32 = 47$ ┘

└─ $36 + 72 + 144 + 288 + 1152 = 1692$

3 $475 \times 380 + 5250 \times 38 = 475 \times 380 + 525 \times 380$

<u>380을 475번 더한 값과 380을 525번 더한 값의 합은
380을 475+525=1000(번) 더한 값과 같습니다.</u>

$$= 1000 \times 380 = 380000$$

보충 개념

곱셈의 분배법칙
➡ 가×(나+다)=가×나+가×다
  예 3×(2+4)=3×2+3×4

4 • 계산 결과가 가장 클 때

① 가장 큰 수 9와 8은 가장 높은 백의 자리에 써넣습니다.

② 그 다음으로 큰 7과 6을 십의 자리에 써넣습니다. 이때 두 수 중 더 큰 수인 7을 9와 곱해지도록 써넣습니다.

③ 나머지 4와 5를 일의 자리에 써넣습니다. 이때 두 수 중 더 큰 수인 5를 9와 곱해지도록 써넣습니다.

• 계산 결과가 가장 작을 때

① 0을 제외한 가장 작은 수 1과 2는 가장 높은 백의 자리에 써넣습니다.

② 0과 그 다음으로 작은 수 3을 십의 자리에 써넣습니다. 이때 두 수 중 더 작은 수인 0을 2와 곱해지도록 써넣습니다.

③ 나머지 작은 수 4와 5를 일의 자리에 써넣습니다. 이때 두 수 중 더 작은 수인 4를 2와 곱해지도록 써넣습니다.

해결 전략

계산 결과가 가장 큰 식은 9, 8, 7, 6, 5, 4를 사용하고, 계산 결과가 가장 작은 식은 0, 1, 2, 3, 4, 5를 사용합니다.

보충 개념

• 가장 큰 곱을 만들려면 ㉠, ㉣, ㉤, ㉡, ㉥, ㉢ 순서로 큰 수를 써넣습니다.

• 가장 작은 곱을 만들려면 ㉠, ㉣, ㉡, ㉤, ㉢, ㉥ 순서로 작은 수를 써넣습니다.

최상위 사고력 8 **나눗셈**

8-1. 몫과 나머지

74~75쪽

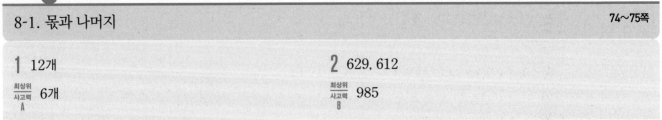

1 12개

최상위 사고력 A 6개

2 629, 612

최상위 사고력 B 985

저자 톡! 나눗셈식에서 몫과 나머지의 성질을 이용하여 문제를 해결하는 내용입니다. 문제를 보고 나눗셈식을 세울 줄 알아야 하고, 나눗셈식을 곱셈식으로 자유롭게 바꿀 수 있어야 합니다. 나누는 수와 나머지의 관계를 항상 머릿속에 떠올릴 수 있도록 연습해 봅니다.

1 $100 \div 73 = 1 \cdots 27$이고, $1000 \div 73 = 13 \cdots 51$이므로 세 자리 수를 73으로 나누었을 때 몫은 1부터 13까지의 수가 될 수 있습니다.
이 중에서 몫과 나머지가 같아지려면 몫이 2일 때 나머지가 2인 경우부터 몫이 13일 때 나머지가 13인 경우까지이므로 몫과 나머지가 같은 수는 모두 $13 - 2 + 1 = 12$(개)입니다.

해결 전략

세 자리 수를 73으로 나누었을 때 몫이 될 수 있는 가장 작은 수와 가장 큰 수를 찾아봅니다.

2 나머지를 △라 하면 □÷18＝34…△입니다.

18×34＋△＝□에서 △는 0부터 17까지의 수가 될 수 있으므로

△＝0일 때 □＝18×34＋0＝612로 가장 작고,

△＝17일 때 □＝18×34＋17＝629로 가장 큽니다.

따라서 □ 안에 들어갈 수 있는 가장 큰 수는 629,

가장 작은 수는 612입니다.

해결 전략
나머지가 0이 되는 경우부터 생각해 봅니다.

보충 개념
나눗셈식은 항상 곱셈식으로 나타낼 수 있습니다.
■÷▲＝●…★ ➡ ▲×●＋★＝■

최상위
사고력
A 세 자리 수를 □, 나머지를 △라 하면 □÷26＝32…△입니다.

□＝26×32＋△에서 △는 0보다 크므로

□는 26×32＝832보다 크고 26×33＝858보다 작아야 합니다.

따라서 주어진 수 카드로 만들 수 있는 세 자리 수는 842, 845, 846,
852, 854, 856으로 모두 6개입니다.

해결 전략
26으로 나누었을 때 몫이 32가 되는 가장 작은 수를 구해 봅니다.

보충 개념
나머지가 생기는 세 자리 수는 몫이 32일 때 나머지가 0인 경우보다 커야 하고, 몫이 33이고 나머지가 0인 경우보다 작아야 합니다.

최상위
사고력
B 세 자리 수 중에서 가장 큰 수는 999이므로 999÷29＝34…13입니다.

하지만 몫과 나머지의 합이 가장 커야 하므로 나머지는 28이 되어야 합니다.

따라서 몫은 33, 나머지는 28일 때 몫과 나머지의 합이 가장 크게 되므로
구하는 세 자리 수는 33×29＋28＝985입니다.

해결 전략
세 자리 수 중에서 가장 큰 수를 29로 나누어 봅니다.

보충 개념
나머지가 가장 큰 수는 나누는 수인 29보다 1 작은 수인 28입니다.

8-2. 어떤 수 구하기

76~77쪽

1 23	**2** 69	최상위 사고력 174

저자 특! 나누는 수를 모르거나 나누어지는 수를 모를 때 조건을 만족하는 어떤 수를 구하는 내용입니다. 주어진 조건을 문제를 해결하기 위해 더 편리한 조건으로 바꾸어 보며 더 효율적으로 문제를 해결해 봅니다.

1 어떤 수로 50을 나누면 나머지가 4이므로 어떤 수로 50－4＝46을
나누면 나누어떨어집니다.

2×23＝46이므로 46을 나누어떨어지게 하는 수는

어떤 수는 23, 46입니다.

이 중에서 120을 나누었을 때 나머지가 5인 수는 120÷23＝5…5이
므로 어떤 수는 23입니다.

해결 전략
어떤 수로 50을 나누면 4가 남는다는 것은 어떤 수로 46을 나누면 나누어떨어진다는 뜻입니다.

보충 개념
나머지가 4이므로 1, 2는 나누는 수가 될 수 없습니다.

2 11로 나누면 나머지가 3인 수는 다음과 같습니다.

3, 14, 25, 36, 47, 58, 69, 80, 91, 102, 113, 124……

이 수들 중에서 7로 나누어 나머지가 6인 가장 작은 수를 찾습니다.

$69 \div 7 = 9 \cdots 6$이므로 조건을 만족하는 가장 작은 수는 69입니다.

> **보충 개념**
> 7로 나누면 나머지가 6인 수는 6, 13, 20, 27, 34, 41……로 11로 나눌 때보다 찾아야
> 하는 수가 더 많아집니다. 따라서 나누는 수가 큰 수부터 찾는 것이 더 효율적입니다.

해결 전략
11로 나누면 나머지가 3인 수를 먼저 찾고, 그중에서 7로 나누면 나머지가 6인 수를 찾습니다.

최상위 사고력 13으로 나누면 나머지가 5인 수는 다음과 같습니다.

5, 18, 31, 44, 57, 70, 83, 96, 109, 122, 135, 148, 161, 174……

이 중에서 9로 나누면 나머지가 3인 수는 57, 174……입니다.

이 중에서 4로 나누면 나머지가 2인 가장 작은 수는 174입니다.
└─ $174 \div 4 = 43 \cdots 2$

해결 전략
나누는 수가 가장 큰 13부터 이용하여 조건을 만족하는 어떤 수를 찾습니다.

8-3. 과부족

78~79쪽

| **1** 27개 | **2** 8명, 72권 | **최상위 사고력** 1반: 18명, 2반: 23명 |

> **저자 톡!** 학생들에게 어떤 물건을 몇 개씩 나누어줄 때 남거나 모자라는 상황을 보고 학생 수 또는 물건의 수를 구하는 내용입니다. 복잡한
> 상황이라 어렵게 느낄 수 있지만 그림을 이용하면 의외로 간단히 해결할 수 있음을 경험하도록 합니다. 그림을 그릴 때는 주어진 문제의 조건이
> 정확히 반영되도록 다양한 상황을 그림으로 그려 보는 연습이 필요합니다.

1 학생들에게 구슬을 2개씩 나누어주면 9개가 남고, 3개씩 나누어주면 남는 것이 없습니다.

가로를 나누어줄 학생 수 ■명으로 정하고, 세로를 한 학생에게 나누어줄 구슬 수로 정하여 직사각형 그림을 그립니다.

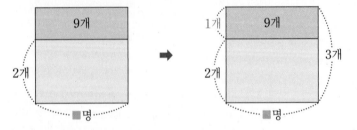

한 학생에게 나누어줄 구슬 수의 차이가 $3 - 2 = 1$(개)일 때
9개의 차이가 나므로 학생 수는 9명입니다.
따라서 구슬은 $3 \times 9 = 27$(개)입니다.

해결 전략
가로를 나누어줄 학생 수, 세로를 나누어줄 구슬 수로 정하여 직사각형의 넓이를 이용합니다.

> **다른 풀이**
> 학생들에게 구슬을 ●개씩 나누어주면 ㉠개만큼 남고,
> ■개씩 나누어주면 ㉡개만큼 남으면 다음과 같은 식이 성립합니다.
> ➡ (학생 수)＝(㉠과 ㉡의 차이)÷(●와 ■의 차이)
> 따라서 (학생 수)＝$(9-0) \div (3-2) = 9$(명)이므로 구슬은 $3 \times 9 = 27$(개)입니다.

2 가로를 나누어줄 친구 수 ■명으로 정하고, 세로를 한 친구에게 나누어
줄 공책의 권수로 정하여 직사각형 그림을 그립니다.

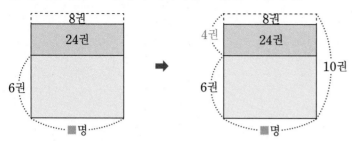

보충 개념
8권 모자라고 24권 남으므로 8과 24의 합
으로 계산해야 합니다.

한 친구에게 나누어줄 공책 수의 차이가 $10-6=4$(권)일 때
$8+24=32$(권)의 차이가 나므로 친구 수는 $32÷4=8$(명)입니다.
따라서 친구 수는 8명이고, 공책 수는 $6×8+24=72$(권)입니다.

최상위 사고력 〈1반〉

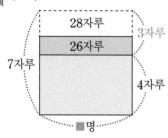

해결 전략
1반과 2반으로 나누어 직사각형 그림으로
나타내어 봅니다.

한 학생에게 나누어줄 연필 수의 차이가
$7-4=3$(자루)일 때
$26+28=54$(자루)의 차이가 나므로
1반 학생 수는 $54÷3=18$(명)입니다.

〈2반〉

한 학생에게 나누어줄 지우개 수의 차이가
$8-6=2$(개)일 때
$50-4=46$(개)의 차이가 나므로
2반 학생 수는 $46÷2=23$(명)입니다.

| 최상위 사고력 | 80~81쪽

1 1044　　　　　　　　　　　　　**2** 370명

3 5　　　　　　　　　　　　　　**4** 666

1 □ 안의 수가 가장 크려면 몫은 15로 일정하므로 나머지가 커야 합니다.
67로 나누어 나머지가 될 수 있는 수는 1부터 66까지의 수입니다.
그러나 종이가 나머지 3 뒤에서 찢어졌으므로 나머지가 될 수 있는 수는
3 또는 십의 자리 숫자가 3인 두 자리 수입니다.
이 중에서 가장 큰 수는 39이므로 □÷67=15…39이고,
□=67×15+39=1005+39=1044입니다.
따라서 □ 안에 들어갈 수 있는 가장 큰 수는 1044입니다.

해결 전략
찢겨진 부분에 숫자가 적혀있는 경우를 생각해 봅니다.

2 가로를 나누어 탈 버스 수 ■대로 정하고, 세로를 버스 1대에 탈 학생 수로 정하여 직사각형 그림을 그립니다.

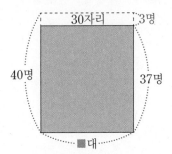

버스 1대에 타게 되는 학생 수의 차가 40−37=3(명)일 때
30자리의 차이가 나므로 버스는 30÷3=10(대)입니다.
따라서 디딤 초등학교 학생은 모두 37×10=370(명)입니다.

해결 전략
1대에 40명씩 타면 마지막 1대에는 10명이 타게 되므로 1대에 40명씩 타면 30자리가 남습니다.

3 어떤 수를 ●, 어떤 수로 539를 나눈 몫과 나머지를 각각 ■, ★라 할 때 나눗셈식과 곱셈식으로 나타내면 다음과 같습니다.
539÷●=■…★, ●×■+★=539…①
어떤 수로 593을 나누면 바르게 계산했을 때보다 몫이 9만큼 커지고 나머지가 같으므로 나눗셈식과 곱셈식으로 나타내면 다음과 같습니다.
593÷●=■+9…★, ●×(■+9)+★=593…②
두 곱셈식 ①, ②의 차는 ●×9=593−539=54이므로 ●=6입니다.
따라서 539를 6으로 나눈 나눗셈식은 539÷6=89…5이므로
나머지는 5입니다.

해결 전략
올바른 식과 잘못된 식을 기호를 이용하여 나타내어 봅니다.

보충 개념
$$\begin{array}{r} ●×(■+9)+★=593 \\ -\,)\,\,●×■\quad\quad+★=539 \\ \hline ●×9\qquad\qquad=54 \end{array}$$
└ (■+9)−■=9
➡ ●=54÷9=6

4 세 자리 수를 ㉠㉡㉢이라 하면 40으로 나누었을 때 나머지가 26이므로
㉠06, ㉠26, ㉠46, ㉠66, ㉠86입니다. 이 중에서 각 자리 숫자의 합이
18이므로 ㉠06, ㉠26은 될 수 없습니다.
㉠46에서 ㉠+4+6=18, ㉠=8이므로 세 자리 수는 846입니다.
그런데 846÷40=21…6이므로 조건을 만족하지 않습니다.
㉠66에서 ㉠+6+6=18, ㉠=6이므로 세 자리 수는 666입니다.
666÷40=16…26이므로 조건을 만족합니다.
㉠86에서 ㉠+8+6=18, ㉠=4이므로 세 자리 수는 486입니다.
그런데 486÷40=12…6이므로 조건을 만족하지 않습니다.
따라서 조건을 만족하는 세 자리 수는 666입니다.

보충 개념
㉠+0+6=18, ㉠=12
㉠+2+6=18, ㉠=10
이므로 세 자리 수가 될 수 없습니다.

9-1. 벌레 먹은 셈

1

```
        6 3 2
  ×       3 6
      3 7 9 2
    1 8 9 6
    2 2 7 5 2
```

2

```
      1 8 6 3
  ×         4
      7 4 5 2
```

최상위 사고력

```
              2 7
    3 8 ) 1 0 2 9
            7 6
            2 6 9
            2 6 6
                3
```

저자 톡! 곱셈식을 이루는 일부의 숫자가 □일 때 □ 안에 들어갈 숫자를 알아맞히는 내용입니다. 연산 감각 뿐만 아니라 수를 추리하는 논리력도 필요한 주제입니다. 문제를 해결할 때 시행착오가 어느 정도 필요하지만 가장 먼저 알 수 있는 수부터 효율적으로 찾도록 합니다.

1

```
      ㉠ ㉡ 2
  ×     3 ㉢
    3 ㉣ ㉤ 2
  1 8 ㉥ 6
  ㉦ ㉧ ㉨ 5 2
```

① ㉢=1, 6이 될 수 있으나 ㉢=1이면 ㉠㉡2×1=(세 자리 수)로 불가능하므로 ㉢=6입니다.

또한 ㉤+6=5이므로 ㉤=9입니다.

```
      ㉠ ㉡ 2
  ×     3 6
    3 ㉣ 9 2
  1 8 ㉥ 6
  ㉦ ㉧ ㉨ 5 2
```

② ㉡2×6=㉣92이므로 ㉡=3, 8이 될 수 있습니다.

㉡=3인 경우		㉡=8인 경우

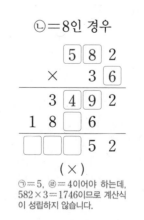

```
      6 3 2
  ×     3 6
    3 7 9 2
  1 8 □ 6
  □ □ □ 5 2
```
㉠=5이면 532×3=1596이므로 계산식이 성립하지 않습니다. 따라서 ㉠=6이고 ㉣=7입니다.

```
      6 3 2
  ×     3 6
    3 7 9 2
  1 8 9 6
  2 2 7 5 2
```
(○)

```
      5 8 2
  ×     3 6
    3 4 9 2
  1 8 □ 6
  □ □ □ 5 2
```
(×)
㉠=5, ㉣=4이어야 하는데, 582×3=17460이므로 계산식이 성립하지 않습니다.

2

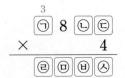

① ㉠=1이고, ㉣은 4+3=7입니다.

② ㉢은 1, 3, 4, 6이 될 수 있으나 1은 이미 사용했으므로 ㉢=3, 4, 6입니다.

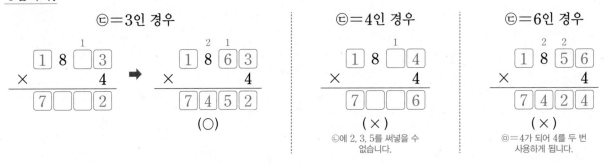

㉢=3인 경우

㉢=4인 경우

㉢=6인 경우

(○)

(×)
㉢에 2, 3, 5를 써넣을 수 없습니다.

(×)
㉣=4가 되어 4를 두 번 사용하게 됩니다.

최상위 사고력

① 38과 어떤 수를 곱하여 일의 자리 숫자가 6인 세 자리 수가 되려면 38에 7을 곱해야 합니다.

② 일의 자리 숫자가 9인 세 자리 수에서 266을 빼어 3이 되는 어떤 수는 269입니다.

③ 38과 어떤 수를 곱하여 두 자리 수가 되는 어떤 수는 1 또는 2입니다.

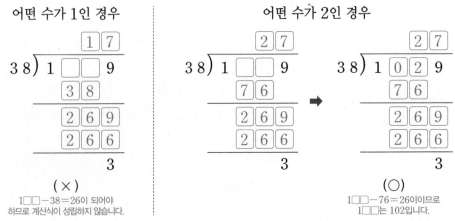

어떤 수가 1인 경우

어떤 수가 2인 경우

(×)
1□□−38=26이 되어야 하므로 계산식이 성립하지 않습니다.

(○)
1□□−76=26이므로 1□□는 102입니다.

1 A＝7, B＝4

2 A＝1, B＝2, C＝5, D＝6, E＝3, F＝0

최상위
사고력　299, 559, 689, 819, 949, 989

저자 톡! 복면산에서는 알 수 없는 수를 문자로 나타내어 문자가 나타내는 수를 구하는 내용입니다. 같은 문자는 같은 수를, 다른 문자는 다른 수를 나타내는 조건이 더 추가된 것이 벌레 먹은 셈과 차이점이라고 할 수 있습니다. 벌레 먹은 셈에서와 같이 기호 중에서 가장 먼저 알 수 있는 것부터 알아내도록 합니다.

1 일의 자리 계산에서 B×6＝□B이므로 B＝0, 2, 4, 6, 8 중 하나입니다.

해결 전략
45×6＝270이므로 AB×6＝BBB입니다.

B＝0인 경우
```
  A 0
×   6
─────
0 0 0
```
(×)

B＝2인 경우
```
  A 2
×   6
─────
2 2 2
```
(×)

B＝4인 경우
```
  A 4        7 4
×   6   ➡  ×   6
─────      ─────
4 4 4      4 4 4
```
　　　　　　(○)
　　　　　 A＝7

보충 개념
B＝2, 6, 8인 경우 A로 가능한 수가 없으므로 불가능합니다.

B＝6인 경우
```
  A 6
×   6
─────
6 6 6
```
(×)

B＝8인 경우
```
  A 8
×   6
─────
8 8 8
```
(×)

따라서 A＝7, B＝4입니다.

2 ① B＋F＝B이므로 F＝0입니다.
```
      A B C
×     B C
─────────
    D B C
  B C 0
─────────
E A B C
```

② C×C＝C이므로 C＝1, 5, 6 중에 하나입니다.

C＝1인 경우
```
  A B 1
×     1
─────
A B 1
```
(×)
A≠D이어야
하므로 불가능합니다.

C＝5인 경우
```
    1 2 5
×       5
─────
  6 2 5
```
(○)
B＝2이고,
A＝1, D＝6입니다.

C＝6인 경우
```
  A B 6
×   B 6
─────
A B 6
```
(×)
B로 가능한 수가
없으므로 불가능합니다.

③ E＝3입니다.
```
      1 2 5
×     2 5
─────────
    6 2 5
  2 5 0
─────────
3 1 2 5
```

따라서 A＝1, B＝2, C＝5, D＝6, E＝3, F＝0입니다.

최상위 사고력 ① ▲ × ▲ = □9이므로 ▲ = 3 또는 7입니다.

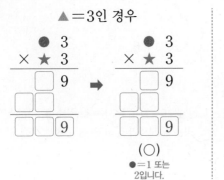

▲ = 3인 경우

(○) ●=1 또는 2입니다.

▲ = 7인 경우

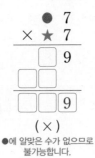

(×) ●에 알맞은 수가 없으므로 불가능합니다.

해결 전략
▲ → ● → ★ 순서로 모양이 나타내는 수를 찾아봅니다.

② i) ● = 1인 경우 ★ = 2, 4, 5, 6, 7이 될 수 있습니다.

★ = 2인 경우

$$\begin{array}{r} 1\ 3 \\ \times\ 2\ 3 \\ \hline 3\ 9 \\ 2\ 6 \\ \hline 2\ 9\ 9 \end{array}$$

★ = 4인 경우

$$\begin{array}{r} 1\ 3 \\ \times\ 4\ 3 \\ \hline 3\ 9 \\ 5\ 2 \\ \hline 5\ 5\ 9 \end{array}$$

★ = 5인 경우

$$\begin{array}{r} 1\ 3 \\ \times\ 5\ 3 \\ \hline 3\ 9 \\ 6\ 5 \\ \hline 6\ 8\ 9 \end{array}$$

★ = 6인 경우

$$\begin{array}{r} 1\ 3 \\ \times\ 6\ 3 \\ \hline 3\ 9 \\ 7\ 8 \\ \hline 8\ 1\ 9 \end{array}$$

★ = 7인 경우

$$\begin{array}{r} 1\ 3 \\ \times\ 7\ 3 \\ \hline 3\ 9 \\ 9\ 1 \\ \hline 9\ 4\ 9 \end{array}$$

ii) ● = 2인 경우 ★ = 1, 4가 될 수 있습니다.

★ = 1인 경우

$$\begin{array}{r} 2\ 3 \\ \times\ 1\ 3 \\ \hline 6\ 9 \\ 2\ 3 \\ \hline 2\ 9\ 9 \end{array}$$

계산 결과가 겹칩니다.

★ = 4인 경우

$$\begin{array}{r} 2\ 3 \\ \times\ 4\ 3 \\ \hline 6\ 9 \\ 9\ 2 \\ \hline 9\ 8\ 9 \end{array}$$

따라서 계산 결과로 나올 수 있는 세 자리 수는 299, 559, 689, 819, 949, 989입니다.

9-3. 마방진

86~87쪽

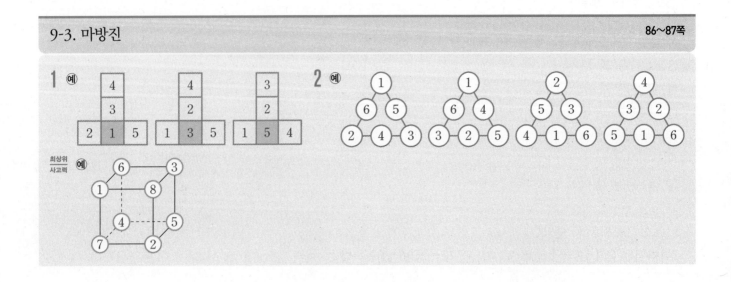

1

A에 들어가는 수만 2번 더해지고 나머지 수는 모두 1번씩 더해집니다.

한 줄에 놓인 세 수의 합을 ■라 하면 두 줄의 합은
$(1+2+3+4+5)+A = ■ \times 2$이고

보충 개념
$15+A$는 2로 나누었을 때 나누어떨어져야 하므로 짝수여야 합니다.

$15+A = ■ \times 2$이므로 A는 1, 3, 5가 될 수 있습니다.

① A＝1일 때 한 줄에 놓인 세 수의 합은 8입니다.

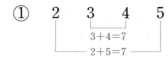

② A＝3일 때 한 줄에 놓인 세 수의 합은 9입니다.

③ A＝5일 때 한 줄에 놓인 세 수의 합은 10입니다.

2

삼각형의 꼭짓점에 들어가는 수들은 2번씩 더해지고,

각 변에 놓인 수들의 합은 모두 같습니다.

꼭짓점에 들어가는 수를 A, B, C라 하고, 각 변에 놓인 수들의 합을 ■라 하면

$(1+2+3+4+5+6)+(A+B+C) = ■ \times 3$, $21+(A+B+C) = ■ \times 3$입니다.

$(A+B+C)$는 3으로 나누어떨어져야 하므로

세 수는 (1, 2, 3), (1, 2, 6), (1, 3, 5), (2, 3, 4), (1, 5, 6), (2, 4, 6), (3, 4, 5), (4, 5, 6)이 될 수 있습니다.

(1, 2, 3)일 때 ■＝9

(1, 2, 6)일 때 ■＝10

(1, 3, 5)일 때 ■＝10

(2, 3, 4)일 때 ■＝10

(1, 5, 6)일 때 ■＝11

(2, 4, 6)일 때 ■＝11

(3, 4, 5)일 때 ■＝11

(4, 5, 6)일 때 ■＝12

이 중에서 세 수가 (1, 2, 3), (1, 3, 5), (2, 4, 6), (4, 5, 6)일 때 성립합니다.

정육면체의 각 꼭짓점에 있는 수는 3번씩 더해지고 정육면체의 면은 모두 6개이므로
(한 면 위의 네 수의 합)×6=(1+2+3+···+7+8)×3, (한 면 위의 네 수의 합)=18입니다.

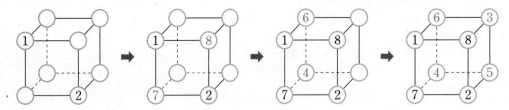

답은 여러 가지입니다.

최상위 사고력

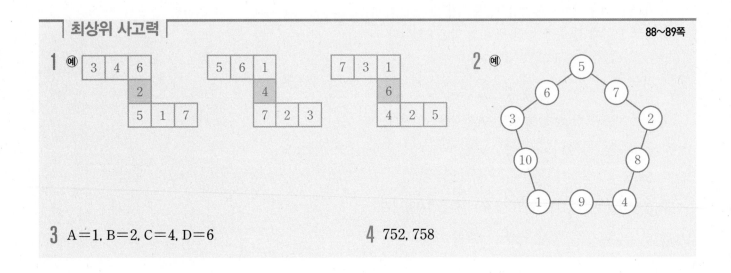

3 A=1, B=2, C=4, D=6

4 752, 758

---

1 한 줄에 있는 수의 합을 □라 하면 2개의 가로줄에 있는 수의 합과 D의 수를 더하면 1부터 7까지의 수의 합과 같습니다.

A	B	C
		D
E	F	G

□×2+D=1+2+3+4+5+6+7,

□×2+D=28이므로 D에 들어갈 수 있는 수는 짝수 2, 4, 6입니다.

해결 전략
1부터 7까지 수의 합은 2개의 가로줄에 있는 6개의 수의 합과 세로줄 가운데 있는 수의 합입니다.

① D=2인 경우

2를 제외한 나머지 수의 합은 1+3+4+5+6+7=26이고
A+B+C=E+F+G이므로 A+B+C=E+F+G=13입니다.
또한 세로줄에서 C+2+E=13, C+E=11이므로 조건에 알맞게
수를 써넣습니다.

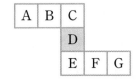

② D=4인 경우

4를 제외한 나머지 수의 합은 1+2+3+5+6+7=24이고
A+B+C=E+F+G이므로 A+B+C=E+F+G=12입니다.

또한 세로줄에서 C＋4＋E＝12, C＋E＝8이므로 조건에 알맞게 수를 써넣습니다.

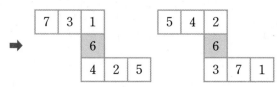

③ D＝6인 경우

6을 제외한 나머지 수의 합은 1＋2＋3＋4＋5＋7＝22이고
A＋B＋C＝E＋F＋G이므로 A＋B＋C＝E＋F＋G＝11입니다.
또한 세로줄에서 C＋6＋E＝11, C＋E＝5이므로 조건에 알맞게 수를 써넣습니다.

➡
7	3	1
		6
4	2	5

5	4	2
		6
3	7	1

수의 위치를 바꾸는 방법에 따라 여러 가지 답이 있습니다.

2 ① 각 변에 있는 세 수의 합이 가장 작으려면 각 꼭짓점에 들어가는 수가
작아야 하므로 1, 2, 3, 4, 5가 들어갑니다.

② 각 꼭짓점에 1, 2, 3, 4, 5가 들어가고 각 변에 있는 세 수의 합을
□라고 할 때
5×□＝(1＋2＋3＋…＋9＋10)＋(1＋2＋3＋4＋5)이고
5×□＝70이므로 □＝14입니다.
이때 1＋3＋10＝14이므로 1, 3, 10을 먼저 써넣습니다.

③ 나머지는 2, 4, 5, 6, 7, 8, 9는 1＋4＋9＝14, 2＋4＋8＝14,
2＋5＋7＝14, 3＋5＋6＝14를 이용하여 써넣습니다.

해결 전략
각 변의 합에서 각 꼭짓점의 수는 2번씩 더
해졌습니다.

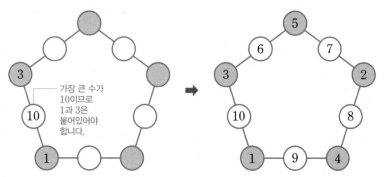

3 AC×C＝5D이므로 C는 5보다 작아야 하고, C＝1, 2, 3이면
곱의 십의 자리 숫자가 5가 될 수 없으므로 C＝4입니다.
AC×C＝5D를 만족하는 식은 14×4＝56뿐입니다.

```
        4 9
   ┌─────────
14 )  6 8 6
      5 6
   ─────────
      1 2 6
      1 2 6
   ─────────
            0
```
686－560＝126이므로
A＝1, B＝2입니다.

따라서 A＝1, B＝2, C＝4, D＝6입니다.

보충 개념
C＝5, 6이면 C＝D가 되고
C＝7, 8, 9이면 A가 될 수 있는 숫자가
없습니다.

4

$$
\begin{array}{r}
\text{A B C} \\
\times\ \text{C B A} \\
\hline
5\ \square\ \square \\
\square\ \square\ \square\ 0 \\
\square\ \square\ \square\ 4 \\
\hline
\square\ \square\ \square\ \square\ \square \\
\end{array}
$$

① C×C의 일의 자리 숫자가 4이므로 C는 2 또는 8입니다.

② ABC×A에서 받아올림한 수와 더해서 천의 자리 숫자가 5가 되므로 A가 될 수 있는 수는 7입니다.

③ B×C의 일의 자리 숫자가 0이므로 B=0 또는 5입니다.

그런데 B=0이면 70C×7의 계산 결과가 5□□□이 나올 수 없으므로 B=5입니다.

따라서 A=7, B=5, C=2 또는 A=7, B=5, C=8이므로 2가지의 곱셈식이 만들어집니다.

$$
\begin{array}{r}
7\ 5\ 2 \\
\times\ 2\ 5\ 7 \\
\hline
5\ 2\ 6\ 4 \\
3\ 7\ 6\ 0 \\
1\ 5\ 0\ 4 \\
\hline
1\ 9\ 3\ 2\ 6\ 4 \\
\end{array}
\qquad
\begin{array}{r}
7\ 5\ 8 \\
\times\ 8\ 5\ 7 \\
\hline
5\ 3\ 0\ 6 \\
3\ 7\ 9\ 0 \\
6\ 0\ 6\ 4 \\
\hline
6\ 4\ 9\ 6\ 0\ 6 \\
\end{array}
$$

따라서 ABC가 될 수 있는 수는 752, 758입니다.

Review Ⅲ 연산

90~92쪽

1 $\boxed{1}\,\boxed{1}\,\boxed{2}\times\boxed{8}\,\boxed{9}=\boxed{9}\,\boxed{9}\,\boxed{6}\,\boxed{8}$

2
$$
\begin{array}{r}
\boxed{4}\,\boxed{7}\,\boxed{8} \\
\times\ \ \boxed{1}\,\boxed{6} \\
\hline
7\ 6\ 4\ 8 \\
\end{array}
$$

3
$$
\begin{array}{r}
\boxed{2}\,\boxed{4}\,\boxed{5} \\
\times\ \ \boxed{3}\,6 \\
\hline
1\,\boxed{4}\,\boxed{7}\,0 \\
\boxed{7}\,\boxed{3}\,5 \\
\hline
8\,\boxed{8}\,\boxed{2}\,\boxed{0} \\
\end{array}
$$

4 6명, 68장   **5** 1081   **6** A=1, B=0, C=8, D=9

---

1 계산 결과가 네 자리 수이고, 네 자리 수 중 가장 큰 값은 9999입니다.

$\square\square\square\times89=\square\square\square\square$ 를 나눗셈식으로 나타내면

$\square\square\square=\square\square\square\square\div89$이므로

$\square\square\square\square$에 9999를 대입하여 계산해 봅니다.

➡ 9999÷89=112…31

따라서 몫이 112일 때 9999에 가장 가깝게 만들 수 있으므로

계산 결과가 가장 크도록 식을 완성하면 112×89=9968입니다.

해결 전략
가장 큰 네 자리 수로 89를 나누어 봅니다.

2 계산 결과를 가장 작게 만들기 위해서는 ㉣, ㉠, ㉢, ㉡, ㉢ 순서로 작은 수를 써넣습니다.

3

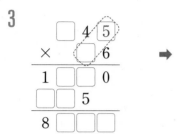 ➡ 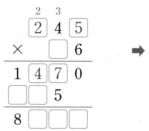 ➡  ➡

6과 곱하여 일의 자리 숫자가 0이 되는 수는 0 또는 5입니다. 그런데 0×□=5가 될 수 없으므로 0은 될 수 없습니다.

□45×6=1□□0에서 □ 안에 알맞은 수를 구합니다.

245×3=735 입니다.

1470+735=8820 입니다.

4

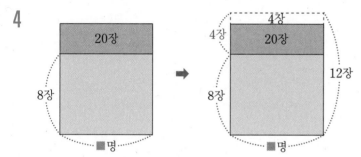

한 친구에게 나누어줄 색종이 수의 차이가 12−8=4(장)일 때 20+4=24(장)의 차이가 나므로 친구 수는 24÷4=6(명)이고 색종이 수는 8×6+20=68(장)입니다.

> **해결 전략**
> 가로를 나누어줄 친구 수 ■명, 세로를 나누어줄 색종이 수로 정하여 직사각형 그림을 그립니다.

5 네 자리 수 중에서 가장 작은 수는 1000이고 1000÷90=11…10입니다. 하지만 몫과 나머지의 합이 가장 작아야 하므로 나머지는 1이 되어야 합니다.
따라서 몫은 12, 나머지는 1일 때 몫과 나머지의 합이 가장 작게 되므로 |조건|을 만족하는 네 자리 수는 12×90+1=1081입니다.

> **해결 전략**
> 네 자리 수 중에서 가장 작은 수를 90으로 나누어 봅니다.
>
> **보충 개념**
> 나머지가 0이 아닐 때, 나머지가 가장 작은 경우는 1일 때입니다.

6 (네 자리 수)×9=(네 자리 수)이므로 A=1입니다.

$$\begin{array}{r} 1\ B\ C\ D \\ \times \qquad 9 \\ \hline D\ C\ B\ 1 \end{array}$$

D×9의 일의 자리 숫자가 1이 될 수 있는 경우는 D=9입니다.
또한 백의 자리의 계산에서 B=0입니다.

$$\begin{array}{r} 1\ 0\ C\ 9 \\ \times \qquad 9 \\ \hline 9\ C\ 0\ 1 \end{array}$$

C×9+8=C0에서 C=8입니다.

> **보충 개념**
> 1BC9×9=9CB1에서 B=0, 1이 될 수 있으나 1은 이미 사용했으므로 B=0입니다.

Ⅳ 도형

이 단원에서는 도형 돌리기와 도형 뒤집기, 도형 붙이기와 도형 나누기, 색종이 접고 자른 모양을 학습합니다.

1 색종이 겹치기, 접기, 자르기에서는 색종이를 겹쳐 놓은 순서를 알아보고, 색종이를 접은 모양과 색종이를 접어서 자른 모양을 차례로 학습합니다.

2 도형의 이동에서는 상자 모양을 둘레를 따라 돌리는 재미있는 상황을 통해 도형 돌리기를 학습하고, 모양, 글자, 숫자 등을 거울에 비춘 모습을 통해 도형 뒤집기를 알아봅니다.

3 도형 붙이기와 나누기에서는 1종류 또는 2종류의 도형을 이어 붙여서 만들 수 있는 모양을 모두 찾아보고, 도형 나누기에서는 주어진 도형을 똑같은 모양으로 나누는 방법에 대해 학습합니다.

이 단원에서는 문제를 해결하는 방법을 익히기보다 실제로 주변 도구를 이용하여 학생 스스로 이해하고 경험해 보는 것이 중요합니다. 학생들이 평면도형의 돌리기, 뒤집기를 한 결과를 예상하고 추론해 볼 수 있는 공간 추론 능력을 기를 수 있도록 합니다.

최상위 사고력 **10** 색종이 겹치기, 접기, 자르기

10-1. 색종이 겹치기   94~95쪽

1 보라색	**2** ③	최상위 사고력 ①, ⑦, ②, ⑥, ③, ④, ⑧, ⑨, ⑤

저자 톡! 연필, 색종이, 옷 등이 겹쳐진 그림을 보고 몇 번째에 놓인 물건을 찾는 내용입니다. 이런 문제를 풀 때는 눈으로만 보고 답을 내기보다 이웃한 종이의 상하 관계를 하나씩 따져가며 찾도록 합니다.

---

1   가장 위에 있는 색연필부터 하나씩 **빼내어** 6번째에 놓인 색연필을 찾습니다.

색연필 8자루는 위에서부터 노랑 → 초록 → 빨강 → 분홍 → 검정 → 보라 → 파랑 → 주황 순서로 놓여있습니다.

따라서 위에서부터 6번째에 놓인 색연필은 보라색입니다.

2   가장 위에 있는 색종이부터 하나씩 **빼내어** 가장 아래에 놓인 색종이를 찾습니다.

> **보충 개념**
> 가장 위에 놓인 색종이는 정사각형 모양이 모두 보입니다.

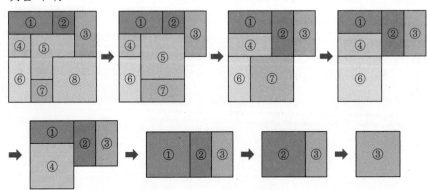

색종이 8장은 위에서부터 ⑧ → ⑤ → ⑦ → ⑥ → ④ → ① → ② → ③ 순서로 놓여있으므로 가장 아래에 놓인 색종이는 ③입니다.

최상위
사고력 가장 위에 있는 색종이부터 하나씩 **빼내어** 보면서 색종이가 놓인 순서를 알아봅니다.

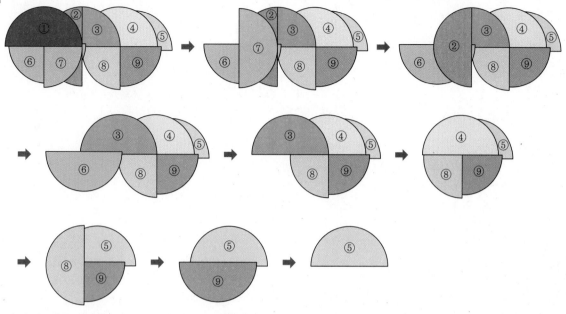

따라서 색종이 9장은 위에서부터 ① → ⑦ → ② → ⑥ → ③ → ④ → ⑧ → ⑨ → ⑤ 순서로 놓여있습니다.

10-2. 색종이 접기

1
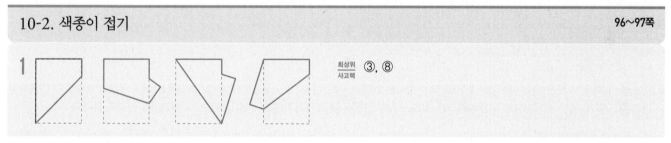
최상위
사고력 ③, ⑧

저자 톡! 색종이 접기 문제는 평면을 이용하여 공간 감각을 측정하는 문제로 자주 등장합니다. 색종이를 한 번 접은 모양을 찾을 때는 먼저 주어진 모양에서 접은 선을 찾는 것이 중요합니다. 대칭 개념을 인지하고, 직접 색종이를 접어 보며 확인하는 과정을 통해 머릿속에 공간 지도를 만들 수 있도록 합니다.

1 먼저 점선을 따라 접은 모습을 그린 다음 테두리만 남기고 나머지 선은 지웁니다.

해결 전략
직접 접어 보며 확인합니다.

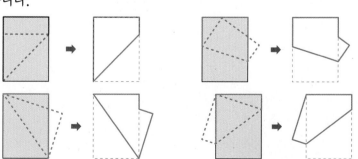

원래의 모양을 그릴 수 있는 모양을 찾고, 접은 선을 찾아 색종이를 한
번 접어서 만들 수 있는 모양인지 확인합니다.

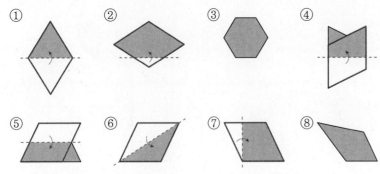

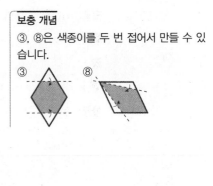

③, ⑧은 색종이를 한 번 접어서 만들 수 없습니다.

10-3. 색종이 자르기

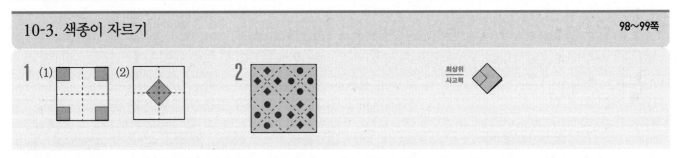

저자 톡! 앞에서 배웠던 색종이를 접은 모양을 찾는 것과는 반대로, 접은 후 자르고 펼친 모양을 찾는 내용입니다. 학생들이 수학의 아름다움
과 흥미를 느낄 수 있는 주제이므로 직접 색종이를 잘라 모양을 관찰해 보고 문제 해결의 방법을 몸으로 체득할 수 있도록 합니다.

1 마지막 접은 모양부터 거꾸로 펼쳐가며 생각합니다.

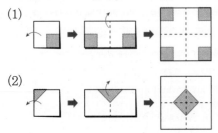

2 마지막 접은 모양부터 거꾸로 펼쳐가며 생각합니다.

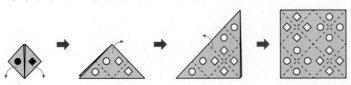

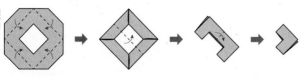

최상위
사고력

해결 전략
펼친 모양을 접는 방법과 같은 순서로 접어
생각합니다.

지도 가이드
색종이 자르기 문제는 접는 방법, 접는 횟수, 자른 모양 등을 보고 펼친 모양을 유추하는
문제가 대표적입니다. 이와 같은 문제는 펼쳐가며 잘라진 모양을 찾을 수 있습니다. 그러
나 이번 문제는 대표적인 색종이 문제와는 달리 펼친 모양을 보고 자른 모양을 찾는 문제
입니다. 이러한 문제를 풀 때는 펼친 모양을 다시 종이를 접은 순서대로 접으면 종이를 자
른 모양을 눈으로 쉽게 확인할 수 있습니다.

최상위 사고력

100~101쪽

1 12장

2

3

4

1

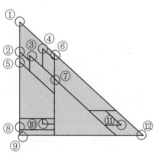

따라서 색종이는 모두 12장입니다.

해결 전략
색종이의 꼭짓점 중 한 곳에 ○표 하며 한
장씩 세어봅니다.

2 정사각형을 접는 선을 따라 한 번 접은 모양은 접는 방향으로 한 번 뒤집
은 모양과 같습니다.

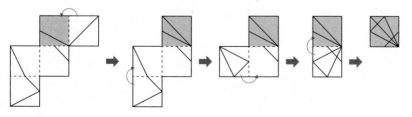

해결 전략
정사각형을 끝에서부터 한 번씩 접은 모양
을 차례로 그려 봅니다.

3 마지막 접은 모양부터 거꾸로 펼쳐가며 생각합니다.

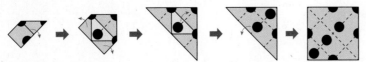

4 색종이를 반으로 완전히 포개어 3번 접는 방법은 다음과 같이 5가지가 있습니다.

〈펼친 모양〉

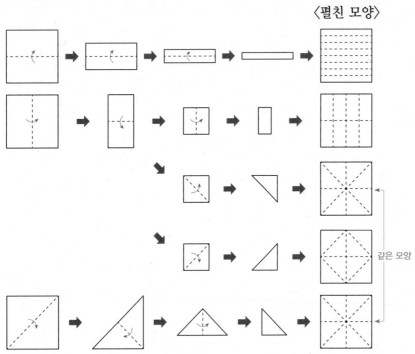

해결 전략

• 정사각형을 반으로 완전히 포개어 접는 방법

• 직사각형을 반으로 완전히 포개어 접는 방법

• 삼각형을 반으로 완전히 포개어 접는 방법

같은 모양

따라서 색종이를 펼쳤을 때 나올 수 있는 서로 다른 모양은 4가지입니다.

최상위 사고력 **11** **도형의 이동**

11-1. 도형 돌리기

102~103쪽

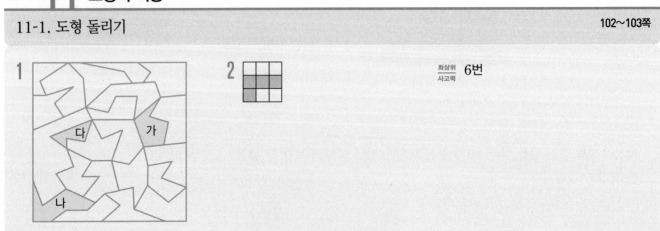

1 다 가 나

2 최상위 사고력 6번

저자 톡! 똑같은 모양 찾기 문제로 도형 돌리기 감각을 익히고, 테두리를 따라 도는 바퀴 문제로 도형 돌리기 응용 문제를 접해 봅니다. 도형 돌리기를 할 때 90°만큼 4번 돌리면 원래 모양과 같아짐을 알고, 도형의 꼭짓점에서는 몇 도만큼 도는지 규칙을 찾아 문제를 해결할 수 있도록 합니다.

1 변의 개수, 각의 크기 등 조각의 전체적인 모양과 부분적인 모양을 살펴 보고, 여러 방향으로 돌려 보면서 같은 모양을 찾습니다.

2 정사각형 모양의 바퀴를 잔디밭 주변을 따라 ㉠까지 시계 방향으로 굴리 면 다음과 같습니다.

해결 전략
정사각형 모양의 잔디밭의 각 변에서는 시 계 방향으로 90°만큼 돌리기 하고, 각 꼭짓 점에서는 180°만큼 돌리기 합니다.

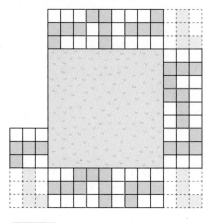

다른 풀이
바퀴는 잔디밭의 각 변에서 90°만큼 2번 돌고, 꼭짓점에서도 90°만큼 2번 돕니다.
바퀴는 세 변과 세 꼭짓점을 지나가므로 90°만큼 $2 \times 3 + 2 \times 3 = 12$(번) 돕니다.
90°만큼 4번 돌면 원래의 모양과 같아지고, $12 \div 4 = 3$이므로 ㉠에 놓이는 모양은 원래의 모양과 같습니다.

최상위 사고력 도형의 각 변의 길이를 구한 후 [가] 를 굴리며 [가] 와 같은 모양이 몇 번 나오는지 세어 봅니다.

해결 전략
먼저 도형의 나머지 변의 길이를 구해 봅니다.

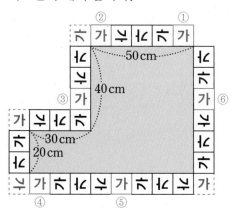

지도 가이드
도형의 오목한 부분의 변을 평행하게 옮겨 변의 길이를 구할 수 있습니다.

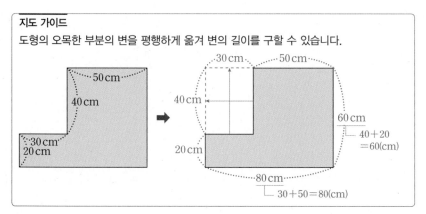

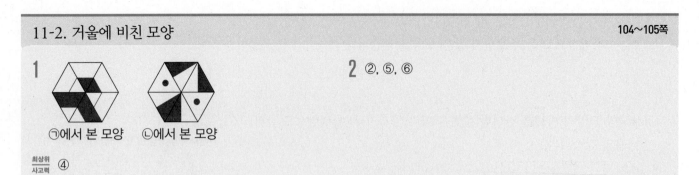

1

㉠에서 본 모양   ㉡에서 본 모양

최상위
사고력   ④

2   ②, ⑤, ⑥

저자 톡! 어떤 모양에 거울을 비추었을 때 어떤 모양과 거울에 비친 모양을 합쳐서 나올 수 있는 모양을 찾는 내용입니다. 대칭인 모양을 찾을 때는 주어진 모양이 어느 선을 기준으로 대칭인지 알아보는 것이 중요합니다. 직접 거울을 대고 모양을 확인해 보며 대칭 감각을 길러 봅니다.

1 거울 속 모양은 거울을 기준으로 종이 위의 모양과 대칭입니다.

2 거울을 놓을 수 있는 곳을 찾아 선을 그어 봅니다.

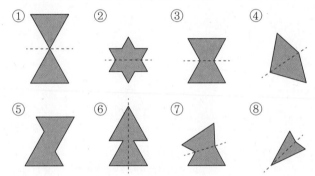

점선을 그린 모양 중 한 부분은 종이 위의 모양입니다.
이때 종이 위의 모양이 정삼각형인 것을 찾아 봅니다.

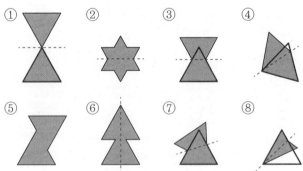

따라서 만들 수 없는 모양은 ②, ⑤, ⑥입니다.

최상위
사고력   ㉠ ㅁ   ㉡ ㅇ   ㉢ ㅅ   ㉣ ㅍ

• ㉠이 만들어지는 경우

B D P R

- ⓒ이 만들어지는 경우

- ⓒ이 만들어지는 경우

- ⓔ이 될 수 있는 모양

따라서 알파벳 P에 거울을 놓고 화살표 방향으로 바라보면 4가지 모양을 만들 수 있습니다.

11-3. 글자, 숫자 움직이기

1 (1) 물, 곰, 옹 (2) 유, 옹 (3) 나, 유, 머   **2** 180개

최상위 사고력 61+18+89+69

저자톡! 우리가 흔히 사용하는 숫자, 글자, 기호는 돌리기와 뒤집기를 활용할 수 있는 좋은 소재 중의 하나입니다. 돌리고 뒤집는 방법에 따라 글자와 숫자가 되는 것을 찾아보는 경험을 해 보고, 생활 속에서도 적용할 수 있는 기회를 가져 봅니다.

1 (1) 주어진 글자를 180°만큼 돌리면 다음과 같은 모양이 됩니다.

롬	亇	문	욿	떠	웅

따라서 180°만큼 돌렸을 때 글자가 되는 것은 물, 곰, 옹 3개입니다.

(2)

물	나	곰	유	머	옹

180°만큼 돌리기 →

롬	亇	문	욿	떠	웅

위쪽으로 뒤집기 →

물	八	돔	유	떠	옹

따라서 180°만큼 돌리고 위쪽으로 뒤집었을 때
글자가 되는 것은 유, 옹 2개입니다.

(3)

물	나	곰	유	머	옹

90°만큼 돌리기 →

뻬	두	마	쿠	모	에

오른쪽으로 뒤집기 →

뻬	구	네	야	모	에

따라서 시계 방향으로 90°만큼 돌리고 오른쪽으로 뒤집었을 때
글자가 되는 것은 나, 유, 머 3개입니다.

2 0부터 9까지의 수를 위쪽으로 뒤집었을 때 숫자가 되는 것은
0, 1, 2, 3, 5, 8입니다.
이 중에서 뒤집어도 세 자리 수가 되는 수는 백의 자리 숫자가 0이 아니고, 1, 2, 3, 5, 8로만 이루어져야 합니다.
따라서 만들 수 있는 세 자리 수는 백의 자리, 십의 자리, 일의 자리에 놓을 수 있는 숫자의 개수의 곱을 이용하여 구할 수 있습니다.
➡ (백의 자리에 올 수 있는 숫자의 개수)×(일의 자리에 올 수 있는 숫자의 개수)×(십의 자리에 올 수 있는 숫자의 개수)
$=5 \times 6 \times 6 = 180$(개)

최상위 사고력 식을 180°만큼 돌려도 식이 되어야 하므로 ●와 ■에 들어갈 수 있는 숫자는 0, 1, 2, 5, 6, 8, 9입니다.
㉠에서 본 식: $61+18+8●+■9$
$=79+8 \times 10 + ● + ■ \times 10 + 9$
$=168 + ■ \times 10 + ●$
㉡에서 본 식: $6■+●8+81+19$
$=6 \times 10 + ■ + ● \times 10 + 8 + 100$
$=168 + ● \times 10 + ■$
㉠에서 본 식의 계산 값과 ㉡에서 본 식의 계산 값이 같아야 하므로
$168 + ■ \times 10 + ● = 168 + ● \times 10 + ■$,
$■ \times 10 + ● = ● \times 10 + ■$, $■● = ●■$이어야 합니다.
따라서 두 자리 수를 180°만큼 돌렸을 때 같은 수가 되는 수를 찾으면
11, 22, 55, 69, 88, 96이고, ●는 ■보다 크므로
㉠에서 본 식은 $61+18+8●+■9$ ➡ $61+18+89+69$입니다.

최상위 사고력
108~109쪽

1 36개

2 ㉠, ㉢, ㉤, ㉥

3 12칸

4 12659, 15689

---

1 오른쪽에서 거울을 비추었을 때 숫자가 되는 것은 0, 1, 2, 5, 8입니다.
이 숫자로 만들 수 있는 세 자리 수 중에서 옆으로 뒤집었을 때 세 자리 수가 되는 수는 백의 자리 숫자와 일의 자리 숫자가 0이 아닌 수입니다.
따라서 만들 수 있는 세 자리 수는 백의 자리, 일의 자리, 십의 자리에 놓을 수 있는 숫자의 개수의 곱을 이용하여 구할 수 있습니다.
➡ (백의 자리에 올 수 있는 숫자의 개수)×(일의 자리에 올 수 있는 숫자의 개수)×(십의 자리에 올 수 있는 숫자의 개수)
$=4 \times 3 \times 3 = 36$(개)

해결 전략
뒤집었을 때도 세 자리 수가 되려면 세 자리 수의 각 자리의 숫자는 뒤집어도 수가 되어야 합니다.

주의
0~9까지 적힌 수 카드가 한 장씩 있다고 생각하면 안됩니다.

해결 전략
오른쪽에서 거울을 비친 모양은 오른쪽으로 뒤집은 모양과 같습니다.

보충 개념
처음 세 자리 수의 백의 자리에 0이 올 수 없고, 거울에 비친 수도 세 자리 수여야 하므로 일의 자리에도 0이 올 수 없습니다.

2

거울을 놓는 자리는 점선으로 나타내고, 바라본 방향을 화살표로 표시하면 다음과 같습니다.

 ㉠　 ㉢　 ㉫　 ㉮

㉮은 다음과 같이 거울을 놓아 만들 수도 있습니다.

3

왼쪽 투명 종이를 고정시킨 후 오른쪽 투명 종이를 돌리기, 뒤집기 하여 겹쳐 봅니다.

해결 전략
색칠된 칸이 많으려면 색칠된 부분이 같은 칸에 겹치지 않게 놓아야 합니다.

〈시계 반대 방향으로 90°만큼 돌리기〉

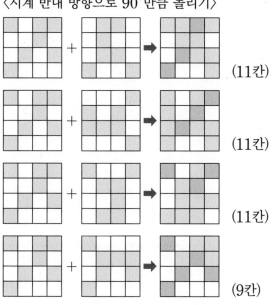

(11칸)

(11칸)

(11칸)

(9칸)

〈뒤집은 다음 시계 반대 방향으로 90°만큼 돌리기〉

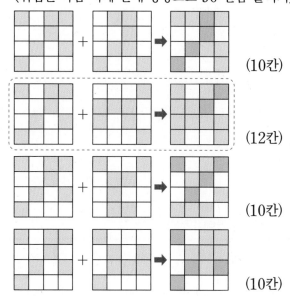

(10칸)

(12칸)

(10칸)

(10칸)

4

원래의 수와 거꾸로 본 수의 차가 53262이므로 일의 자리 숫자는 2, 0 또는 0, 8 또는 6, 8 또는 1, 9가 됩니다. 이때 일의 자리 숫자가 0이면 180°만큼 돌렸을 때 만의 자리 숫자가 0이 되므로 일의 자리 숫자는 2, 0과 0, 8이 될 수 없습니다.

해결 전략
일의 자리 숫자의 계산부터 생각해 봅니다.

보충 개념
0부터 9까지의 숫자 중에서 180°만큼 돌려도 숫자가 되는 것은 0, 1, 2, 5, 6, 8, 9입니다.

①
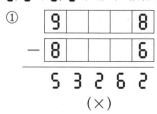
(×)
만의 자리 계산에서 9−8=1이므로 불가능합니다.

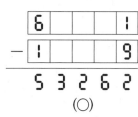
(○)
가운데 세 자리 수의 차가 326이므로 십의 자리 숫자가 될 수 있는 것은 2, 5 또는 9, 2 또는 5, 8입니다.

②
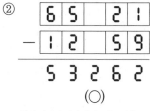
(○)
백의 자리 숫자가 될 수 있는 것은 6, 9입니다.

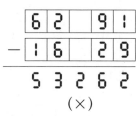
(×)
만의 자리 계산에서 받아내림하면 6−1−1=4이므로 불가능합니다.

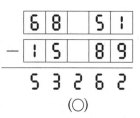
(○)
백의 자리 숫자가 될 수 있는 것은 6, 9입니다.

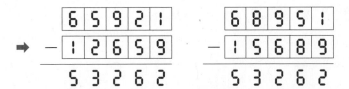

➡
$$\begin{array}{r} 6\;5\;9\;2\;1 \\ -\;1\;2\;6\;5\;9 \\ \hline 5\;3\;2\;6\;2 \end{array}\qquad\begin{array}{r} 6\;8\;9\;5\;1 \\ -\;1\;5\;6\;8\;9 \\ \hline 5\;3\;2\;6\;2 \end{array}$$

따라서 원래의 수는 **12659**, **15689**이고
돌려서 본 수는 차례로 **65921**, **68951**입니다.

최상위 사고력 **12** **도형 붙이기와 나누기**

12-1. 같은 도형 붙이기   110~111쪽

1 (1)   최상위 사고력 **4가지**

(2)

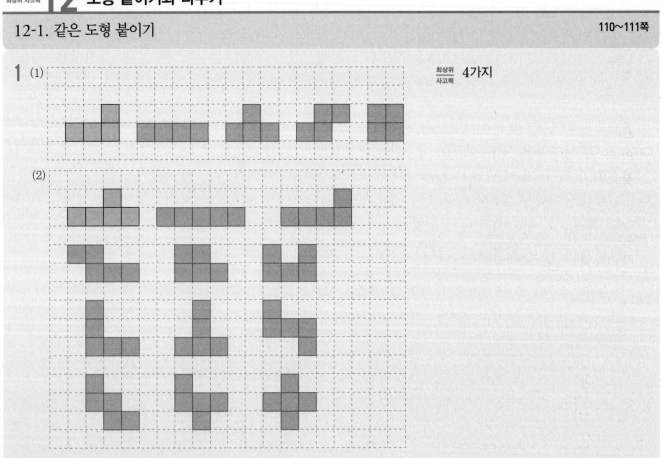

[저자 톡!] 정삼각형, 정사각형 등 같은 도형을 변끼리 이어 붙여 만들 수 있는 서로 다른 모양을 찾는 내용입니다. 단순히 도형을 붙이는 방법
이 아닌 만들 수 있는 모양을 빠짐없이 찾는 효율적인 방법에 중점을 두어 학습합니다.

1 (1) 정사각형을 가로로 4개 붙인 모양, 3개 붙인 모양, 2개 붙인 모양으로 나누어 그려 봅니다.
  남은 정사각형은 도형 주위를 돌아가며 붙여 서로 다른 모양을 차례로 찾습니다.

  • 4개 붙인 모양:

  • 3개 붙인 모양:

  • 2개 붙인 모양:

(2) 정사각형을 가로로 5개 붙인 모양, 4개 붙인 모양, 3개 붙인 모양, 2개 붙인 모양으로 나누어 그려 봅니다.

  • 5개 붙인 모양:

  • 4개 붙인 모양:

  • 3개 붙인 모양:

    위쪽에만 정사각형
    2개를 붙인 모양

    위쪽과 아래쪽에 정사각형을
    1개씩 붙인 모양

  • 2개 붙인 모양 :

정삼각형 4개를 이어 붙여 만들 수 있는 모양은 3가지입니다.

이 모양에 정삼각형 1개를 더 이어 붙여 만들 수 있는 서로 다른 모양을 찾아봅니다.

따라서 정삼각형 5개를 이어 붙여 만든 펜티아몬드는 4가지입니다.

> **해결 전략**
> 정삼각형 4개를 이어 붙여 만든 모양을 모두 찾은 후, 그 모양에 정삼각형 1개를 더 붙이는 방법으로 펜티아몬드를 찾아봅니다.

보충 개념
정삼각형을 이어 붙이는 개수에 따라 다음과 같은 이름이 붙여집니다.

정삼각형의 개수	도형 이름	모양
1개	모니아몬드	△
2개	다이아몬드	▽
3개	트리아몬드	◿◺
4개	테트리아몬드	
5개	펜티아몬드	
6개	헥시아몬드	

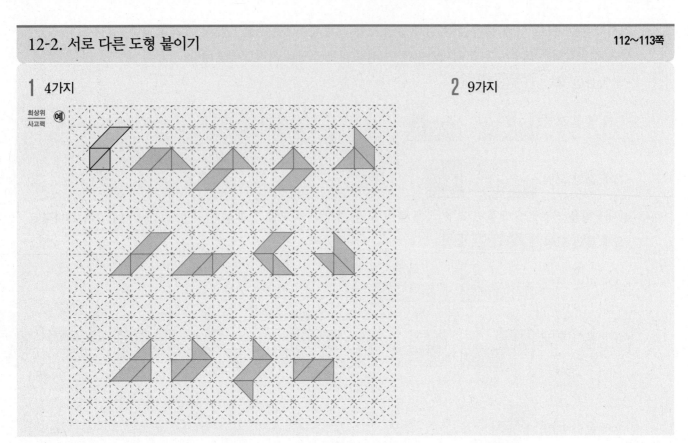

저자 톡! 앞에서는 같은 도형을 여러 개 붙여 서로 다른 모양을 만들었다면 이번에는 서로 다른 도형을 여러 개 붙여 서로 다른 모양을 만들어 봅니다. 같은 도형을 붙일 때와 어떤 부분이 다른지 찾아보며 효율적으로 서로 다른 모양을 만드는 방법을 학습해 봅니다.

1 △, △ 이 붙어 있는 경우와 떨어져 있는 경우로 나누어 찾아봅니다.

① △, △ 이 붙어 있는 경우

➡ 3가지

② △, △ 이 떨어져 있는 경우

➡ 1가지

따라서 만들 수 있는 서로 다른 모양은 3+1=4(가지)입니다.

2 정사각형끼리 반드시 이어 붙여야 하므로 먼저 정사각형 2개를 붙인 모양에 정삼각형 1개를 붙인 모양을 찾습니다.

①    ②

그다음 나머지 정삼각형 1개를 도형 주위를 돌려가며 붙여 서로 다른 모양을 찾아봅니다.

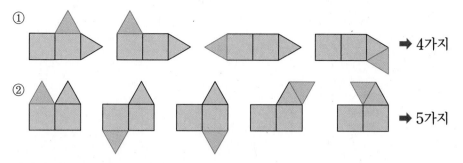

➡ 4가지

➡ 5가지

따라서 만들 수 있는 서로 다른 모양은 4＋5＝9(가지)입니다.

최상위 사고력 , 이 붙어 있는 경우와 , / 이 붙어 있는 경우로 나누어 찾아봅니다.

① 와 가 붙어 있는 경우

- 모양일 때:

- 모양일 때:

- / 모양일 때:

② 와 / 가 붙어 있는 경우 (단, ①에서 찾은 모양과 다른 모양을 찾습니다.)

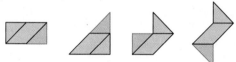

보충 개념
모양을 만들 수 있는 방법은 여러 가지입니다.

예

12-3. 도형 나누기

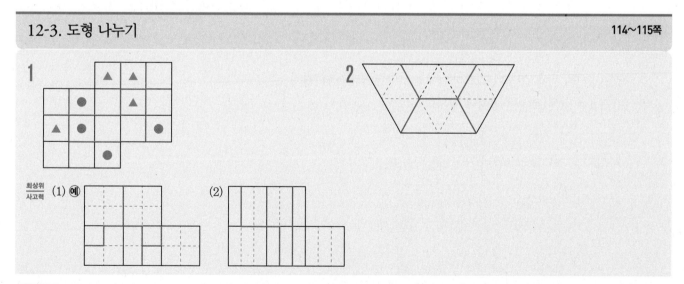

114~115쪽

저자 톡! 주어진 도형을 모양과 크기가 똑같은 도형으로 나누는 내용입니다. 주어진 모양에 눈금이 있을 때와 없을 때로 나누어 도형을 똑같이 나누어 봅니다.

1 주어진 모양은 작은 정사각형 16개로 이루어졌습니다.
크기가 같은 4개의 조각으로 나누려면 나누어진 1개의 조각은
작은 정사각형 $16 \div 4 = 4$(개)로 이루어져야 합니다.
정사각형 4개를 변끼리 붙인 모양은 5가지가 있습니다.

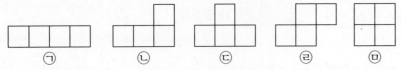

ㄱ   ㄴ   ㄷ   ㄹ   ㅁ

주어진 모양은 ㄴ으로만 똑같이 나눌 수 있습니다.

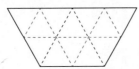

2 전체 도형을 크기와 모양이 같은 12조각으로 나눕니다.

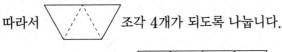

작은 정삼각형이 12개이므로 나누어진 모양은 작은 정삼각형
$12 \div 4 = 3$(개)로 이루어져야 합니다.

따라서 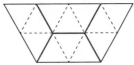 조각 4개가 되도록 나눕니다.

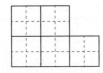

최상위 사고력 (1) 전체 도형을 크기와 모양이 같은 20조각으로 나눕니다.

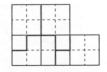

작은 정사각형이 20개이므로 나누어진 모양은 작은 정사각형
$20 \div 4 = 5$(개)로 이루어져야 합니다.

[해결 전략]
먼저 몇 칸으로 이루어진 도형으로 나누어
야 하는지 생각해 봅니다.

[해결 전략]
같은 크기의 모양으로 나누려면 크기를 비
교할 수 있는 작은 단위로 나누어 생각합니
다.

[보충 개념]
주어진 도형을 4개의 작은 조각으로 나누기
위해서는 주어진 도형을 크기와 모양이 같
은 작은 단위 조각의 개수가 4의 배수가 되
도록 나눕니다.   곱한다는 뜻으로 똑같은
            수가 거듭해 커진다는 뜻

[해결 전략]
전체 도형을 4의 배수, 3의 배수만큼 작은
도형으로 나누어 봅니다.

(2) 전체 도형을 크기와 모양이 같은 15조각으로 나눕니다.

작은 직사각형이 15개이므로 나누어진 모양은 작은 직사각형
$15 \div 3 = 5$(개)로 이루어져야 합니다.

1

3	7	5	3
5	2	4	9
9	1	3	6
6	4	8	1

2 6가지

3 12가지

4 12가지

1 작은 정사각형 16개로 이루어진 도형은 작은 정사각형 $16 \div 4 = 4$(개)
로 이루어진 조각으로 나눌 수 있습니다.

      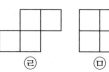

ㄱ   ㄴ   ㄷ   ㄹ   ㅁ

주어진 도형을 4부분으로 똑같이 나눌 수 있는 모양은 ㄱ, ㄴ, ㄷ, ㅁ입니다.
주어진 도형 안에 있는 수의 합은
$(3+7+5+3)+(5+2+4+9)+(9+1+3+6)+(6+4+8+1)$
$=18+20+19+19=76$이므로
각 조각의 수의 합은 $76 \div 4 = 19$입니다.
따라서 다음과 같이 나눌 수 있습니다.

3	7	5	3
5	2	4	9
9	1	3	6
6	4	8	1

해결 전략
똑같이 나누어진 4개의 조각에 들어 있는
수의 합이 얼마일지 구해 봅니다.

2

색칠한 부분을 포함하는 경우와 포함하지 않는 경우로 나누어 찾아봅니다.

① 색칠한 부분을 포함하는 경우

 ➡ 4가지

② 색칠한 부분을 포함하지 않는 경우

 ➡ 2가지

따라서 직각삼각형 4개를 이어 붙여 만든 서로 다른 모양은 모두
4＋2＝6(가지)입니다.

3 4개의 정사각형을 이어 붙여 만들 수 있는 모양은 5가지입니다.

해결 전략
먼저 정사각형 4개를 이어 붙여 만들 수 있는 모양을 모두 찾아봅니다.

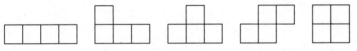

이 모양에 정사각형을 1개씩 색칠하며 서로 다른 모양을 찾아봅니다.

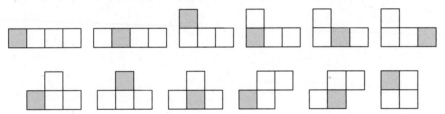

따라서 만들 수 있는 서로 다른 모양은 모두 12가지입니다.

4 ① 정삼각형을 옆으로 6개 이어 붙인 경우

해결 전략
정삼각형을 옆으로 6개, 5개, 4개, 3개
이어 붙인 경우로 나누어 찾습니다.

 ➡ 1가지

② 정삼각형을 옆으로 5개 이어 붙인 경우

 ➡ 3가지

③ 정삼각형을 옆으로 4개 이어 붙인 경우

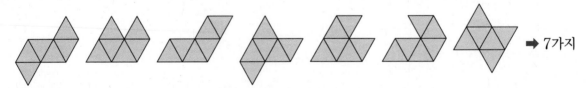 ➡ 7가지

④ 정삼각형을 옆으로 3개 이어 붙인 경우

 ➡ 1가지

따라서 만들 수 있는 헥시아몬드는 모두 1＋3＋7＋1＝12(가지)입니다.

1 ②   **2** 오전 9시 51분   **3** ②, ④

4   **5** (1) 예 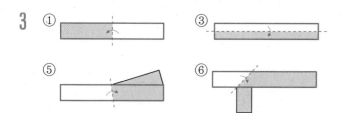   (2) 예   **6** 7가지

1

색종이 8장은 위에서부터 ④ → ① → ⑤ → ⑦ → ⑧ → ⑥ → ③ → ②
순서로 놓여있으므로 가장 아래에 놓인 색종이는 ②입니다.

해결 전략
가장 위에 있는 색종이부터 하나씩 빼내어
가장 아래에 놓인 색종이를 찾습니다.

2 철봉에 거꾸로 매달려서 본 것은 180°만큼 돌린 것과 같습니다.

$$15:60 \Rightarrow 09:51$$

따라서 지금 시각은 오전 9시 51분입니다.

주의
24시까지 표시되므로 오후 9시 51분이
아닌 오전 9시 51분입니다.
오후 9시 51분은 2|:5|으로 표시됩니다.

3

② 1번 접어서 2번 꺾인 부분이 나올 수 없습니다.

④ 1번 접어서 삼각형의 꼭짓점과 같은 뾰족한 부분은 나올 수 없습니다.

따라서 나올 수 없는 모양은 ②, ④입니다.

보충 개념
주어진 도형을 4개의 작은 조각으로 나누기 위해서는 주어진 도형을 크기와 모양이 같은 작은 단위 조각의 개수가 4의 배수가 되도록 나눕니다.

4 전체 도형을 크기와 모양이 같은 12조각으로 나눕니다.

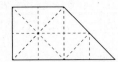

작은 직각삼각형이 12개이므로 나누어진 모양은 작은 직각삼각형
$12 \div 4 = 3$(개)로 이루어져야 합니다.

따라서 조각 4개가 되도록 나눕니다.

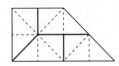

5 먼저 주어진 모양에서 대칭이 되는 기준을 찾아 점선으로 나타냅니다.

(1) 　　(2)

반쪽 모양을 원래의 모양에서 찾아 거울을 놓는 자리는 점선으로 나타내고,
바라본 방향을 화살표로 표시하면 다음과 같습니다.

(1) 　　(2)

이외에도 보는 방향에 따라 여러 가지 답이 있습니다.

6 정육각형 3개를 이어 붙일 수 있는 방법은 다음과 같이 3가지입니다.

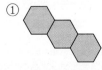　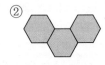　

주의
돌리거나 뒤집어서 같은 모양은 중복하여 세지 않도록 주의합니다.

나머지 정육각형 1개를 ①~③ 모양에 이어 붙여서 새로운 모양을 만듭니다.

① 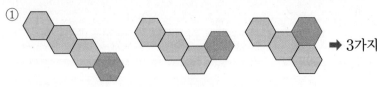 ➡ 3가지

② 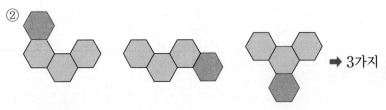 ➡ 3가지

③ 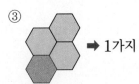 ➡ 1가지

따라서 모두 $3 + 3 + 1 = 7$(가지)입니다.

V 규칙

이 단원에서는 수가 한 방향으로 일정하게 나열된 수열을 시작으로 여러 방향으로 배열된 수 배열표에서 규칙을 찾고, 수열을 다양한 문제에 활용하게 됩니다.

1 수열에서는 일정하게 반복되는 수열, 일정하게 커지거나 작아지는 수열, 묶음 수열 등의 다양한 수열의 규칙성을 알아보고, 가우스의 계산법으로 합을 간단히 구해 봅니다.

2 수 배열표에서는 한 방향으로 일정하게 나열된 수열을 기초로 하여 여러 방향으로 배열된 계산식을 접해 보고, 수 배열표에서 규칙을 찾아 어떤 위치에 있는 수를 찾거나 어떤 수가 놓이는 위치를 찾아봅니다.

3 수열의 활용에서는 복잡하게 보이는 도형이나 상황을 수열을 이용하면 간단히 해결할 수 있음을 경험합니다.

규칙 찾기는 다른 영역 뿐만 아니라 우리 생활과도 밀접한 연관성이 있습니다. 또 문제 해결의 실마리를 찾는 데 유용한 도구가 될 수 있으므로 규칙 찾기를 통해 추론 능력을 기를 수 있도록 합니다.

최상위 사고력 **13** 수열

13-1. 수열 완성하기

1 (1) 6　(2) 6　(3) 17, 23　(4) 122　　　　**2** 4, 7, 11, 29

최상위 사고력 (1) 10 → 8　(2) 13 → 12　(3) 두 번째에 있는 3 → 5

저자 톡! 어떤 규칙에 따라 차례로 나열된 여러 가지 수열에 대해 알아보는 내용입니다. 지금까지 학습했던 덧셈, 뺄셈, 곱셈, 나눗셈을 기초로 수가 나열된 규칙을 다양한 방법으로 찾아보도록 합니다.

1 (1) 4씩 커지는 규칙입니다.

(2) (3, 6, 9, 2), (3, 6, 9, 2) ……

　　3, 6, 9, 2가 반복되는 규칙입니다.

(3) 2, 3, 5, 8, 12, 17, 23 ……
　　　+1 +2 +3 +4　+5　+6

　　더하는 수가 1씩 커지는 규칙입니다.

(4) 더하는 수가 3배씩 커지는 규칙입니다.

　　1, 2, 5, 14, 41, 122, 365 ……
　　　+1 +3 +9 +27　+81　+243

2 앞의 두 수의 합이 그 다음 수가 되는 규칙(피보나치 수열)입니다.

두 번째 수를 ●라 하여 수열을 나타내면 다음과 같습니다.

3, ●, 3+●, 3+●×2, 6+●×3, 9+●×5

주어진 수열에서 5번째 수가 18이므로 6+●×3=18, ●×3=12,

●=4입니다.

➡ 3, ④, ⑦, ⑪, 18, ㉉ ……

> **해결 전략**
> 앞의 두 수와 다음에 오는 수의 관계를 알아봅니다.

(1) 앞의 수를 2배 하는 규칙입니다.

(2) 더하는 수가 1씩 커지는 규칙입니다.

(3) 홀수 번째 수는 1부터 2씩 커지는 규칙이고, 짝수 번째 수는 2, 4, 6이 반복되는 규칙입니다.

13-2. 몇 번째 수 구하기 124~125쪽

1 가, 15 **2** 43번째, 54번째 최상위
사고력 53번째

저자 톡! 앞에서는 수열의 규칙을 이용하여 10번째 안에 있는 수를 구했다면, 이번에는 일일이 세어 구하기 어려운 순서의 수를 구하게 됩니다. 고등 과정에서 배우는 차가 일정한 수열의 몇 번째 수를 구하는 방법을 익혀 봅니다.

1 가는 4부터 7씩 커지는 규칙이고, 나는 253부터 4씩 작아지는 규칙입니다.

가의 25번째 수는 $4+7\times(25-1)=172$이고,

나의 25번째 수는 $253-4\times(25-1)=157$입니다.

따라서 25번째 수가 더 큰 것은 가이고, $172-157=15$만큼 더 큽니다.

> **보충 개념**
>
> 일정한 수를 더하거나 뺀 것으로 이루어진 수열을 등차수열이라고 합니다.
>
> (첫 번째 수)=(첫 번째 수)
>
> (두 번째 수)=(첫 번째 수)+(일정하게 더하는 수)$\times1$
>
> (세 번째 수)=(첫 번째 수)+(일정하게 더하는 수)$\times2$
>
> (네 번째 수)=(첫 번째 수)+(일정하게 더하는 수)$\times3$
>
> $\vdots$
>
> (■번째 수)=(첫 번째 수)+(일정하게 더하는 수)$\times$(■-1)
>
> 예 ⟨ 2, 5, 8, 11, 14, 17, 20 …… ⟩
>
> (20번째 수)=(첫 번째 수)+(일정하게 더하는 수)$\times(20-1)$
>
> $=2+3\times19=59$

2 ⅰ) 홀수 번째는 11, 20, 29, 38, 47 ……로 9씩 커지고,

짝수 번째는 18, 25, 32, 39 ……로 7씩 커지는 규칙입니다.

ⅱ) 홀수 번째와 짝수 번째의 수열에서 각각 200이 몇 번째 수인지 찾아

봅니다.

200이 홀수 번째에서 □번째 수라고 하면

$11+9\times(□-1)=200$, $9\times(□-1)=189$,

□$-1=21$, □$=22$(번째)에 나오고,

짝수 번째에서 △번째 수라고 하면

$18+7\times(△-1)=200$, $7\times(△-1)=182$,

△$-1=26$, △$=27$(번째)에 나옵니다.

따라서 200은 전체 수열에서 $22\times2-1=43$(번째)와

$27\times2=54$(번째) 수입니다.

> **해결 전략**
>
> 홀수 번째와 짝수 번째로 나누어 규칙을 찾아봅니다.

> **보충 개념**
>
> 홀수 번째에서 ■번째 수는 전체 수열에서 (■$\times2-1$)번째이고, 짝수 번째에서 ■번째 수는 전체 수열에서 (■$\times2$)번째입니다.

$\left(\dfrac{1}{2}\right)$, $\left(\dfrac{1}{4}, \dfrac{2}{3}\right)$, $\left(\dfrac{1}{6}, \dfrac{2}{5}, \dfrac{3}{4}\right)$, $\left(\dfrac{1}{8}, \dfrac{2}{7}, \dfrac{3}{6}, \dfrac{4}{5}\right)$, $\left(\dfrac{1}{10}, \dfrac{2}{9}, \dfrac{3}{8}, \dfrac{4}{7}, \dfrac{5}{6}\right)$

각 묶음 안 분수의 분모와 분자의 합은 3, 5, 7, 9, 11 ······로 2씩 커지

고, 분수의 개수는 1, 2, 3, 4, 5 ······로 1개씩 늘어나는 규칙입니다.

또한 각 묶음 안에서 분수의 분자는 1부터 1씩 커지는 규칙입니다.

$\dfrac{8}{13}$은 분모와 분자의 합이 13＋8＝21이므로 <u>10번째 묶음</u>이고,

분자가 8이므로 10번째 묶음에서 8번째 수입니다.

따라서 9번째 묶음까지 분수는

1＋2＋3＋4＋5＋6＋7＋8＋9＝45(개)이므로

$\dfrac{8}{13}$은 45＋8＝53(번째) 수입니다.

> **해결 전략**
> 분모와 분자의 합이 같은 것끼리 묶어서 생각합니다.

> **보충 개념**
> ■번째 묶음 안의 분수의 분모와 분자의 합이 21이므로 3＋2×(■－1)＝21입니다. 따라서 2×(■－1)＝18, (■－1)＝9, ■＝10(번째)입니다.

13-3. 수열의 합 구하기

126~127쪽

1 1716

A 2107

2 2025

B 35, 73

저자 톡! 차가 일정한 수열의 합은 우리가 잘 알고 있는 가우스 계산법(거꾸로 더하는 방법)을 나타냅니다. 1, 2, 3, 4 ······와 같은 연속수 뿐만 아니라 차가 일정한 여러 개의 수의 합을 간단히 구하여 수학의 유용함을 느껴 봅니다.

1 4부터 3씩 커지는 수들을 100까지 더하는 규칙입니다.

100은 4＋3×32＝100이므로 33번째 수입니다.

수를 거꾸로 더하는 규칙(가우스 계산법)을 이용하여 수열의 합을 구해 봅니다.

$$\begin{array}{r} 4＋\ \ 7＋10＋13＋16＋\cdots\cdots＋100 \\ ＋)\ 100＋97＋94＋91＋88＋\cdots\cdots＋\ \ 4 \\ \hline 104＋104＋104＋104＋104＋\cdots\cdots＋104 \ ＝104×33＝3432이고 \end{array}$$

（33개）

4부터 100까지 2번씩 더했으므로 2로 나누면 3432÷2＝1716입니다.

2

×	1	2	3	4	5	6	7	8	9
1	1	2	3	4	5	6	7	8	9
2	2	4	6	8	10	12	14	16	18
3	3	6	9	12	15	18	21	24	27
4					⋮				
5									

해결 전략
먼저 각각의 가로줄에서 계산 결과로 나오는 수의 합을 구해 봅니다.

위에서부터 각 가로줄의 합을 구하면 45, 90, 135 ……로 45씩 커지는 수열을 이룹니다.

9번째 가로줄에 있는 수의 합은 $45+45\times8=45+360=405$이므로 45부터 405까지 45씩 커지는 수열의 합을 가우스 계산법을 이용하여 구하면

$\{(45+405)+(90+360)+……+(405+45)\}\div2=450\times9\div2$
$=2025$입니다.

다른 풀이
각 가로줄의 합을 곱으로 간단히 나타내어 봅니다.
1번째 줄 $1+2+3+4+……+9$
2번째 줄 $2\times(1+2+3+4+……+9)$
3번째 줄 $3\times(1+2+3+4+……+9)$
⋮
9번째 줄 $9\times(1+2+3+4+……+9)$
이 수들을 모두 더하면 $(1+2+3+4+……+9)\times(1+2+3+4+……+9)$
$=45\times45=2025$입니다.

보충 개념
$A\times C+B\times C=(A+B)\times C$와 같은 분배법칙의 성질을 이용한 것입니다.

최상위 사고력 A
$100\div7=14…2$, $200\div7=28…4$이므로 100부터 200까지의 수 중에서 7로 나누어떨어지는 첫 번째 수는 $7\times15=105$이고, 마지막 수는 $7\times28=196$입니다.

105, 112, 119, 126, 133, 140 …… 196이므로 합은
— 14개 —

$\{(첫\ 번째\ 수)+(마지막\ 수)\}\times(수의\ 개수)\div2=(105+196)\times14\div2$
$=301\times14\div2=301\times7=2107$입니다.

해결 전략
100부터 200까지의 수 중에서 7로 나누어떨어지는 수를 찾아봅니다.

보충 개념
100부터 200까지 101개의 수 중에서 7로 나누어떨어지는 수는 $101\div7=14…3$이므로 14개입니다.

최상위 사고력 B
$\{(첫\ 번째\ 수)+(마지막\ 수)\}\times20\div2=1080$,
$(첫\ 번째\ 수)+(마지막\ 수)=108$입니다.
연속된 20개의 홀수 중에서 첫 번째 수를 □라 하면
마지막 수는 $□+2\times19$이므로
$(첫\ 번째\ 수)+(마지막\ 수)=□+(□+2\times19)=□\times2+38$이므로
$□\times2+38=108$, $□\times2=70$, $□=35$입니다.
따라서 가장 작은 수는 35이고,
가장 큰 수는 $□+2\times19=35+38=73$입니다.

해결 전략
연속된 홀수는 2씩 차이나는 수이므로 차가 일정하게 커지거나 작아지는 수의 합 공식을 이용합니다.

1 338

2 5

3 861번째

4 1이 5개 더 많습니다.

---

1 80번째 수가 500이므로

(첫 번째 수)+6×79=500, (첫 번째 수)+474=500,

(첫 번째 수)=26입니다.

따라서 53번째 수는 26+6×52=26+312=338입니다.

해결 전략
먼저 어떤 수를 찾습니다.

2 0부터 7씩 커지는 수에서 일의 자리 숫자만 나열한 것입니다.

즉, 0, 7, 4, 1, 8, 5, 2, 9, 6, 3 열 개의 수가 반복됩니다.

65÷10=6…5이므로 65번째 수는 8이고,

80÷10=8이므로 80번째 수는 3입니다.

따라서 65번째 수와 80번째 수의 차는 8−3=5입니다.

3 (50), (50, 49), (50, 49, 48), (50, 49 ……

각 묶음 안의 수는 50부터 1씩 작아지는 규칙이고,

수의 개수는 1개, 2개, 3개……로 1개씩 늘어나는 규칙입니다.

각 묶음에서 가장 마지막 수의 규칙은

첫 번째 묶음의 마지막 수: 50−0=50,

두 번째 묶음의 마지막 수: 50−1=49,

세 번째 묶음의 마지막 수: 50−2=48……이므로

50부터 1씩 작아지는 규칙입니다.

50−40=10이므로 10은 41번째 묶음의 마지막 수일 때 처음으로 나옵니다.

따라서 41번째 묶음까지 수는

1+2+3+4+……+41=42×41÷2=861(번째)에 처음 나옵니다.

해결 전략
수를 몇 개씩 묶어서 규칙을 찾아봅니다.

4 (1), (2, 2), (1, 1, 1), (2, 2, 2, 2), (1, 1, 1, 1, 1), (2 ……

1과 2가 번갈아가며 1개, 2개, 3개 ……씩 나오는 규칙입니다.

묶은 수열을 다시 2묶음씩 묶어서 1과 2의 개수를 비교합니다.

(1), (2, 2), (1, 1, 1), (2, 2, 2, 2), (1, 1, 1, 1, 1), (2 ……

　　2가 1개 더 많음　　2가 1개 더 많음　 ……

20번째 묶음까지 수는 1+2+3+4+……+20=210(개)이므로

225번째 수는 21번째 묶음 15번째에 나옵니다.

20번째 묶음까지 2가 10개 더 많고, 21번째 묶음에서 15번째 수까지는

1이 15개입니다.

따라서 225개의 수에서 1이 2보다 15−10=5(개) 더 많습니다.

해결 전략
1과 2가 번갈아가며 나오는 규칙을 이용하여 나열된 수를 묶어 봅니다.

14-1. 계단식 배열

1 245025

2 (1) 625 (2) 1275

최상위
사고력 6720899932791

저자 톡! 등호로 이루어진 피라미드 배열에서 규칙을 찾아 계산하는 내용입니다. 계산식이 복잡해 보이지만 규칙을 찾아 간단히 계산할 수 있음을 경험해 봅니다.

1 등호 왼쪽: 일의 자리 숫자가 5인 두 수의 곱입니다.

등호 오른쪽: 십의 자리 숫자와 일의 자리 숫자가 모두 25입니다.

등호 왼쪽에 있는 식과 오른쪽에 있는 수의 관계를 찾습니다.

일의 자리 숫자가 5이고 나머지 자리 숫자가 □인 두 수의 곱, 즉 □5×□5는

□×(□+1)의 값을 앞에 쓰고, 5×5=25를 뒤에 쓰는 규칙입니다.

따라서 495×495=245025입니다.

$$\underset{\underset{49\times(49+1)}{\uparrow}}{245}\underset{\underset{5\times5}{\uparrow}}{025}$$

해결 전략
등호의 왼쪽과 오른쪽으로 나누어 규칙을 찾습니다.

2 등호 왼쪽: 1부터 연속한 홀수의 개수가 1개, 2개, 3개……씩 늘어나는
규칙입니다.

등호 오른쪽: 1×1, 2×2, 3×3, 4×4……와 같이 등호 왼쪽의 연속
한 홀수의 개수를 2번씩 곱하는 규칙입니다.

(1) 1부터 49까지 홀수는 25개이므로 25×25=625입니다.

(2) (100까지의 홀수의 합)−(70까지의 홀수의 합)

　　=50×50−35×35=2500−1225=1275

해결 전략
먼저 등호의 왼쪽과 오른쪽으로 나누어 규칙을 찾습니다.

최상위
사고력 **규칙1** 계산 결과의 자릿수는 곱하는 두 수의 자릿수의 합입니다.

4682×999999=☐☐☐☐☐☐☐☐☐☐
(4자리)　(6자리)　　　　　　(10자리)

규칙2 다음과 같은 규칙으로 앞 · 뒤 두 부분에 알맞은 수를 찾습니다.

4682×999999= | 4 | 6 | 8 | 1 |　|　| 5 | 3 | 1 | 8 |

① 1작은 수　　　② 4681+ 5318 =9999
　　　　　　　　　앞의 수와 더해서 자릿수는 같고
　　　　　　　　　9로만 이루어진 수가 되는 수

규칙3 남은 자리에는 9를 씁니다.

| 4 | 6 | 8 | 1 | 9 | 9 | 5 | 3 | 1 | 8 |

이와 같은 규칙으로 67209×99999999를 계산해 봅니다.

규칙1 곱하는 두 수의 자릿수의 합만큼 자릿수를 정합니다.

67209×99999999=☐☐☐☐☐☐☐☐☐☐☐☐☐
(5자리)　　　(8자리)　　　　　　(13자리)

규칙2 앞부분에 67209－1＝67208을 쓰고,

뒷부분에 67208과 더해서 99999가 되는 수를 씁니다.

| 6 | 7 | 2 | 0 | 8 | | | | 3 | 2 | 7 | 9 | 1 |

규칙3 남은 자리에 9를 써넣습니다.

| 6 | 7 | 2 | 0 | 8 | 9 | 9 | 9 | 3 | 2 | 7 | 9 | 1 |

따라서 67209×99999999＝6720899932791입니다.

14-2. 열이 있는 배열

132~133쪽

1 ㄹ **2** 다, 마 최상위 사고력 **왼손, 약지**

저자 톡! 앞에서는 가로 방향으로만 나열된 수들의 규칙을 찾았다면 이번에는 세로 방향으로 나열된 수들의 규칙을 찾아봅니다. 달력, 사물함과 같은 실생활의 소재를 통해 규칙을 찾아보며 문제 해결력을 길러 봅니다.

1 각 자리에 앉은 학생들이 부르는 수는 6씩 커지는 규칙이 있습니다.

$100÷6＝16\cdots4$로 100은

ㄹ 자리에서 부르게 됩니다.

따라서 ㄹ 자리에 앉으면

이기게 됩니다.

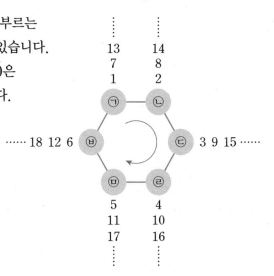

해결 전략

㉠ 자리부터 수를 시계 방향으로 차례로 쓴 후 각 자리에 쓴 수들의 규칙을 찾습니다.

보충 개념

같은 자리에 있는 수들은 6으로 나눈 나머지가 같다는 규칙도 찾을 수 있습니다.

자리	㉠	㉡	㉢	㉣	㉤	㉥
6으로 나눈 나머지	1	2	3	4	5	0

2 • 가, 나, 다에서 찾기

가	1	6	7	12	13	……
나	2	5	8	11	14	……
다	3	4	9	10	15	……

① 6개의 수가 ∪자 모양으로 배열되어 있습니다.

② 각 가로줄의 수는 6으로 나누었을 때 나머지가 가는 1과 0,

나는 2와 5, 다는 3과 4가 반복됩니다.

따라서 130은 $130÷6＝21\cdots4$이므로 다에 있습니다.

• 라, 마, 바, 사에서 찾기

라	마	바	사
1	2	3	4
8	7	6	5
9	10	11	12
16	15	14	13
17	18	19	20

① 8개의 수가 ⊃자 모양으로 배열되어 있습니다.

② 각 세로줄의 수는 8로 나누었을 때 나머지가 라는 1과 0, 마는 2와 7,

바는 3과 6, 사는 4와 5가 반복됩니다.

따라서 130은 $130÷8＝16\cdots2$이므로 마에 있습니다.

최상위 사고력 각 손가락이 세는 수는 18개씩 같은 위치에서 반복되는 규칙이 있으므로 반복되는 마디는 18입니다.

다음 표는 각 손가락이 나타내는 수를 18로 나누었을 때 나머지를 나타낸 것입니다.

해결 전략
어떤 방법으로 손가락 자리가 반복되는지 찾아봅니다.

보충 개념
18씩 222묶음을 세고 왼손의 엄지에서 시작하여 4번째 손가락이 됩니다.

왼손					오른손				
소지	약지	중지	검지	엄지	엄지	검지	중지	약지	소지
5	4	3	2	1	10	11	12	13	14
	6	7	8	9	0	17	16	15	

$4000 \div 18 = 222 \cdots 4$이므로 4000은 왼손의 약지로 셉니다.

14-3. 행과 열이 있는 배열

134~135쪽

1 53

2 81, 83, 76

최상위 사고력 (11, 8)

저자 톡! 열이 있는 수 배열에서는 수가 놓이는 열의 위치만 찾았지만 이번에는 행과 열 두 가지의 위치를 찾습니다. 규칙을 찾는 방법은 여러 가지가 있을 수 있지만 가장 간단한 방법을 이용하여 문제를 해결해 보도록 합니다.

1 각 행의 오른쪽 끝에 있는 수들을 나열하여 규칙을 찾습니다.

1, 3, 6, 10, 15 ……
　　+2 +3 +4 +5

더하는 수가 2부터 1씩 커지는 수열입니다.

10행 오른쪽 끝에 있는 수는

$1 + (2+3+4+5+6+7+8+9+10) = 55$이므로

10행 8번째 수는 $55 - 2 = 53$입니다.

해결 전략
먼저 각 행의 가장 오른쪽에 있는 수들의 규칙을 찾아봅니다.

보충 개념
■행에 나열된 수는 ■개이므로 10행에서 가장 오른쪽 끝에 있는 수는 10번째 수입니다.

> **다른 풀이**
> 각 행의 왼쪽 첫 번째 수들의 규칙을 찾습니다.
>
> 1, 2, 4, 7, 11 ……
> 　　+1 +2 +3 +4
>
> 더하는 수가 1부터 1씩 커지는 수열입니다.
> 10행 1번째 수는 $1 + (1+2+3+4+5+6+7+8+9) = 46$이므로
> 10행 8번째 수는 $46 + 7 = 53$입니다.

2 수 배열표는 수를 오른쪽 대각선 위로 차례로 배열한 규칙입니다.

	1열	2열	3열	4열
1행	1	3	6	10
2행	2	5	9	14
3행	4	8	13	19	……
4행	7	12	18	25

⋮

해결 전략
각 행 또는 각 열에 있는 수들의 규칙을 찾아봅니다.

- 11행 3열의 수

  3열의 수들은 6, 9, 13, 18 ……이고

  더하는 수가 3, 4, 5 ……로 3부터 1씩 커지는 수이므로

  11행 3열의 수는

  $6+(3+4+5+6+7+8+9+10+11+12)$

  $=6+15\times10\div2=81$입니다.

- 9행 5열의 수

  9행 5열의 수는 11행 3열의 수의 대각선 위 2번째 칸에 있으므로

  $81+2=83$입니다.

- 3행 10열의 수

  3행의 수들은 4, 8, 13, 19 ……이고

  더하는 수가 4, 5, 6 ……으로 4부터 1씩 커지는 수이므로

  3행 10열의 수는

  $4+(4+5+6+7+8+9+10+11+12)$

  $=4+16\times9\div2=76$입니다.

최상위 사고력 **규칙1** 다음과 같은 순서로 수가 배열되어 있습니다.

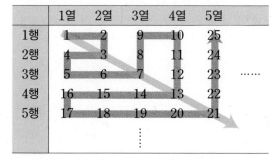

해결 전략
각 행 또는 각 열에 있는 수들의 규칙을 찾아봅니다.

규칙2 대각선 방향에 놓인 수들은 1, 3, 7, 13, 21 ……로 더하는 수가 2씩 커집니다.   +2 +4 +6 +8

먼저 **규칙2** 를 이용하여 대각선에 있는 수 중에 108과 가까이 있는 수를 찾습니다.

$1+(2+4+6+8+10+12+14+16+18+20)$

$=1+22\times10\div2=111$이므로 111은 11행 11열의 수입니다.

홀수 번째 행에서는 대각선에 있는 수에서 왼쪽으로 1칸씩 갈수록 1씩 줄어들고, $111-3=108$이므로 108은 11행 11열에서 3칸 왼쪽에 있는 11행 8열의 수입니다.

따라서 108은 (11, 8)로 나타낼 수 있습니다.

1 266, 68

2 385

3 위로 5칸, 오른쪽으로 4칸

4 (나, 75)

1 6개의 주사위에 적힌 수는 6으로 나눈 나머지가 차례로
3, 4, 5, 0, 1, 2입니다.
$50 \div 6 = 8 \cdots 2$
$76 \div 6 = 12 \cdots 4$
$91 \div 6 = 15 \cdots 1$이므로
나머지가 2, 4, 1인 주사위를 제외하면 나머지가 3, 5, 0인
첫 번째, 세 번째, 네 번째 주사위만 사용할 수 있습니다.
세 주사위의 가장 작은 수는 각각 21, 23, 24이고
가장 큰 수는 $21 + 6 \times 11 = 87$, $23 + 6 \times 11 = 89$, $24 + 6 \times 11 = 90$입니다.
따라서 주사위를 던졌을 때 나올 수 있는 수들의 합으로 가장 큰 값은
$87 + 89 + 90 = 266$이고, 가장 작은 값은 $21 + 23 + 24 = 68$입니다.

해결 전략
각 주사위에 적힌 수들의 규칙을 찾습니다.

2 1행의 수의 합: 1
2행의 수의 합: $4(=2 \times 2)$
3행의 수의 합: $9(=3 \times 3)$
4행의 수의 합: $16(=4 \times 4)$
5행의 수의 합: $25(=5 \times 5)$
⋮

각 행의 수의 합은 그 행의 가운데 수를 2번 곱한 수입니다.
따라서 10행까지 배열된 모든 수의 합은
$1 + 4 + 9 + 16 + 25 + 36 + 49 + 64 + 81 + 100 = 385$입니다.

해결 전략
각 행에 있는 수들의 합의 규칙을 찾습니다.

보충 개념
■행에 있는 수들의 합은 ■ × ■ 칸으로 이루어진 정사각형에서 대각선 칸의 개수의
합입니다.

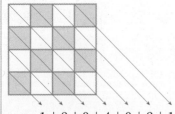

$1 + 2 + 3 + 4 + 3 + 2 + 1 = 4 \times 4$
└─ 정사각형의 칸의 수
따라서 이와 같은 규칙의 수의 합은 가운데 수를 2번 곱한 수가 됩니다.

3

	21	22	23	24	25	26
	20	7	8	9	10	27
⋮	19	6	1	2	11	28
39	18	5	4	3	12	29
38	17	16	15	14	13	30
37	36	35	34	33	32	31
					⋮	

해결 전략
가로, 세로, 대각선 중에서 수의 규칙을 알
수 있는 줄을 찾아봅니다.

보충 개념
제곱수는 같은 수를 2번 곱해 만들어지는
수입니다.

예 $3 \times 3 = \boxed{9}$
$4 \times 4 = \boxed{16}$
$5 \times 5 = \boxed{25}$
제곱수

1을 기준으로 대각선 오른쪽 방향으로는 홀수의 제곱수 1, 9, 25 ……

가 배열되어 있고 4를 기준으로 대각선 왼쪽 방향으로는 짝수의 제곱수

4, 16, 36 ……이 배열되어 있습니다.

$11 \times 11 = 121$이므로 120에 가장 가까운 제곱수는 121입니다.

121은 홀수의 제곱수이므로 1에서 위로 5칸, 오른쪽으로 5칸 간 곳에 있습니다.

따라서 120은 121에서 왼쪽으로 1칸 간 곳이므로

1에서 위로 5칸 오른쪽으로 4칸 간 곳에 있습니다.

4

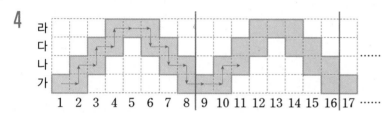

라
다
나
가

1 2 3 4 5 6 7 8 9 10 11 12 13 14 15 16 17 ……

해결 전략
먼저 반복되는 모양을 찾습니다.

주의
반복되는 모양에 색칠된 사각형의 수는 8개
가 아닌 14개입니다.

한 묶음 안에는 색칠한 사각형이 14개씩 들어갑니다.

130번째에 색칠한 사각형은 $130 \div 14 = 9 \cdots 4$이므로

10번째 묶음에서 4번째로 색칠된 사각형입니다.

각 묶음마다 수는 8개씩 반복되므로 10번째 묶음에서 4번째에 색칠된

사각형은 $8 \times 9 + 3 = 75$이므로 (나, 75)로 나타낼 수 있습니다.

최상위 사고력 **15 수열의 활용**

15-1. 모양의 개수	138~139쪽

1 135개

2 145개

최상위
사고력 **21번째**

저자 톡! 일정한 모양으로 배열된 성냥개비, 바둑돌, 점의 개수를 구하는 내용입니다. 먼저 모양의 규칙을 찾아 다음에 올 모양을 예상할 수
있어야 하고, 개수를 구할 때는 앞에서 학습한 수열의 규칙을 이용하도록 합니다.

1 성냥개비로 만든 △ 모양을 아래쪽으로 2개, 3개, 4개 ……씩
붙여 나가는 규칙입니다.
따라서 필요한 성냥개비의 수는 $3, 3 \times (1+2), 3 \times (1+2+3),$
$3 \times (1+2+3+4) \cdots$이므로
9번째 모양을 만드는데 필요한 성냥개비는
$3 \times (1+2+3+ \cdots +9) = 3 \times 45 = 135$(개)입니다.

해결 전략
늘어나는 성냥개비의 수를 곱셈식으로 나타
내어 봅니다.

보충 개념
$3 \times (1+2+ \cdots +■)$
└─── 1번째 △부터 아래쪽으로
      추가된 △의 수
└─── 작은 정삼각형 1개를 만들 때
      필요한 성냥개비의 수

> **다른 풀이**
> 사용한 성냥개비의 수를 순서대로 나열하여 규칙을 찾습니다.
> 3, 9, 18, 30 ……
>   +6 +9 +12
> 더하는 수가 6부터 3씩 커지는 규칙이므로 9번째 모양을 만드는데 필요한 성냥개비는
> $3 + (6+9+12+15+18+21+24+27) = 3+132 = 135$(개)입니다.

2

	1번째	2번째	3번째	4번째	5번째	……
점의 수	1	5	12	22	35	……

+4 +7 +10 +13

해결 전략
점의 수를 순서대로 나열하여 규칙을 찾습
니다.

더하는 수가 4부터 3씩 커지는 규칙입니다.
따라서 10번째 모양을 만드는데 필요한 점의 수는
$1 + (4+7+10+13+16+19+22+25+28) = 1+144 = 145$(개)입니다.

> **보충 개념**
> 고대 그리스 시대의 피타고라스 학파는 우주는 모두 수로 이루어져 있다고 믿었습니다.
> 도형을 수로 표현하고 수와 도형 사이의 특별한 관계를 연구했는데,
> 그중 도형의 형태로 점을 배열할 때 사용된 점의 개수를 도형수라고 불렀습니다.

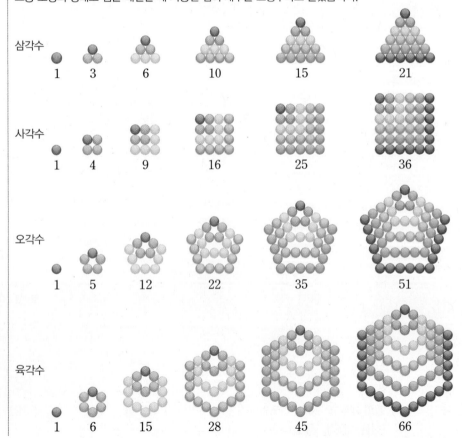

삼각수 1 3 6 10 15 21

사각수 1 4 9 16 25 36

오각수 1 5 12 22 35 51

육각수 1 6 15 28 45 66

최상위 사고력 다음과 같이 두 부분으로 나누어 세어 봅니다.

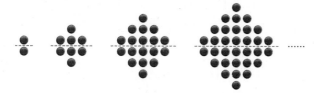

1번째: 1×2(개) ➡ $(1 \times 1) \times 2$(개)

2번째: $(1+3) \times 2$(개) ➡ $(2 \times 2) \times 2$(개)

3번째: $(1+3+5) \times 2$(개) ➡ $(3 \times 3) \times 2$(개)

4번째: $(1+3+5+7) \times 2$(개) ➡ $(4 \times 4) \times 2$(개)

$\vdots$

□번째: $\{1+3+5+\cdots\cdots+(2 \times □ -1)\} \times 2$(개) ➡ $(□ \times □) \times 2$(개)

씩 놓이는 규칙을 찾을 수 있습니다.

바둑돌의 수는 20번째에 $20 \times 20 \times 2 = 800$(개), 21번째에 $21 \times 21 \times 2 = 882$(개),

22번째에 $22 \times 22 \times 2 = 968$(개)이고, $900 - 882 = 18$, $968 - 900 = 68$이므로

바둑돌의 수와 900과의 차가 가장 작을 때는 21번째입니다.

해결 전략
바둑돌의 수를 식으로 나타내어 봅니다.

보충 개념
1부터 연속한 홀수의 합은 홀수의 개수를
2번 곱한 것과 같습니다.
$$\underbrace{1+3+5}_{3개} = 3 \times 3 = 9$$
$$\underbrace{1+3+5+7}_{4개} = 4 \times 4 = 16$$
$$\vdots$$
$$\underbrace{1+3+5+\cdots+(2 \times □ -1)}_{□개} = □ \times □$$

15-2. 프랙탈

140~141쪽

1 (1)

(2) 81개   **최상위 사고력 A** 486개   **최상위 사고력 B** 768개

저자 톡! 프랙탈 이론을 이용해 만든 도형에서 개수를 구해 보는 내용입니다. 아무리 복잡하게 보이는 도형이라도 규칙을 이용하면 간단히 구할 수 있음을 경험하여 수학의 유용함을 느끼도록 합니다.

1

	0번째	1번째	2번째	......
검은색 삼각형의 수(개)	1	3	9	......

$\times 3$ $\times 3$

해결 전략
순서에 따라 검은색 삼각형의 수가 어떤 규칙으로 늘어나는지 알아봅니다.

0번째, 1번째, 2번째 검은색 삼각형의 수는 각각 1개, 3개, 9개로
전 단계 검은색 삼각형의 개수의 3배가 되는 규칙을 찾을 수 있습니다.

(1) 검은색 삼각형 9개를 각각 크기가 같은 4개의 삼각형으로 나눈 후
가운데 삼각형을 제외한 나머지 삼각형을 색칠하여 완성합니다.

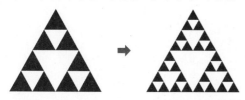

(2) 0번째 검은색 삼각형의 개수가 1개이므로 4번째 시어핀스키 삼각형
의 검은색 삼각형의 개수는 $\underline{1 \times (3 \times 3 \times 3 \times 3) = 81}$(개)입니다.

보충 개념

1, 3, 9, 27, 81
$\times 3$ $\times 3$ $\times 3$ $\times 3$

	1번째	2번째	3번째	……
나뭇가지의 수(개)	2	6	18	……

보충 개념

2, 6, 18, 54, 162, 486
×3 ×3 ×3 ×3 ×3

1번째, 2번째, 3번째 나무의 나뭇가지의 수는 각각 2개, 6개, 18개로
전 단계 나무의 나뭇가지 수의 3배가 되는 규칙을 찾을 수 있습니다.
1번째 나무의 나뭇가지 수가 2개이므로 6번째 나뭇가지 수는
$2 \times (3 \times 3 \times 3 \times 3 \times 3) = 486$(개)입니다.

최상위
사고력
B

1번째에 그려진 도형의 한 변은 2번째에서 4개로 늘어나고,
2번째에 그려진 도형의 한 변은 3번째에서 4개로 늘어납니다.

해결 전략
1단계 도형의 한 변에서 단계가 올라갈수록
변의 수가 몇 배씩 늘어나는지 알아봅니다.

따라서 도형의 변의 수가 전 단계에 그려진 도형의 변의 4배가 되는
규칙을 찾을 수 있습니다.
1번째 도형의 변의 수가 3개이므로 5번째 도형의 변의 수는
$3 \times (4 \times 4 \times 4 \times 4) = 768$(개)입니다.

15-3. 피보나치 수열

142~143쪽

1 13쌍

2 13가지

최상위
사고력 **21가지**

저자 톡! 많은 학생들이 피보나치 수열의 규칙은 쉽게 이해하지만 피보나치 수열을 적용하는 문제는 어려워 합니다. 피보나치 수열의 원리를 다양한 예시를 통해 직접 경험해 보며 피보나치 수열의 진정한 의미를 느껴보도록 합니다.

1 7월까지 토끼 수를 그림으로 나타내면 다음과 같습니다.

해결 전략
직접 규칙에 맞게 토끼를 그려서 토끼 쌍의
수의 규칙을 찾습니다.

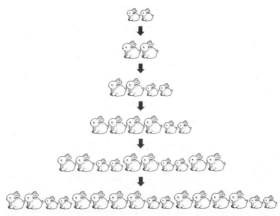

월	1월	2월	3월	4월	5월	6월
토끼 수(쌍)	1	1	2	3	5	8

매월 토끼 쌍의 수는 앞의 두 수의 합이 다음 수가 되는 피보나치 수열을
이룹니다.
따라서 7월에는 토끼가 $5 + 8 = 13$(쌍)이 됩니다.

2 첫 번째 칸까지 오르는 방법: 1가지

두 번째 칸까지 오르는 방법: (바닥에서 2칸을 오르는 가짓수)

+(첫 번째 칸에서 1칸을 오르는 가짓수)

➡ 1+1=2(가지)

세 번째 칸까지 오르는 방법: (첫 번째 칸에서 2칸을 오르는 가짓수)

+(두 번째 칸에서 1칸을 오르는 가짓수)

➡ 1+2=3(가지)

네 번째 칸까지 오르는 방법: (두 번째 칸에서 2칸을 오르는 가짓수)

+(세 번째 칸에서 1칸을 오르는 가짓수)

➡ 2+3=5(가지)

다섯 번째 칸까지 오르는 방법: (세 번째 칸에서 2칸을 오르는 가짓수)

+(네 번째 칸에서 1칸을 오르는 가짓수)

➡ 3+5=8(가지)

여섯 번째 칸까지 오르는 방법: (네 번째 칸에서 2칸을 오르는 가짓수)

+(다섯 번째 칸에서 1칸을 오르는 가짓수)

➡ 5+8=13(가지)

사다리를 오르는 방법의 가짓수는 앞의 두 수의 합이 다음 수가 되는 피보나치 수열을 이룹니다.

따라서 6칸짜리 사다리를 끝까지 오르는 방법은

1, 2, 3, 5, 8, ⑬이므로 13가지입니다.

최상위 사고력 1번 방으로 이동하는 방법: 1가지

2번 방으로 이동하는 방법: 1가지

3번 방으로 이동하는 방법: 1번 → 3번(1가지), 2번→ 3번(1가지)

➡ 1+1=2(가지)

4번 방으로 이동하는 방법: 2번 → 4번(1가지), 3번 → 4번(2가지)

➡ 1+2=3(가지)

5번 방으로 이동하는 방법: 3번 → 5번(2가지), 4번 → 5번(3가지)

➡ 2+3=5(가지)

6번 방으로 이동하는 방법: 4번 → 6번(3가지), 5번 → 6번(5가지)

➡ 3+5=8(가지)

7번 방으로 이동하는 방법: 5번 → 7번(5가지), 6번 → 7번(8가지)

➡ 5+8=13(가지)

8번 방으로 이동하는 방법: 6번 → 8번(8가지), 7번 → 8번(13가지)

➡ 8+13=21(가지)

다음 방으로 이동하는 방법의 가짓수는 앞의 두 수의 합이 다음 수가 되는 피보나치 수열을 이룹니다.

따라서 1번 방에서 8번 방으로 이동하는 방법은

1, 2, 3, 5, 8, 13, ㉑이므로 21가지입니다.

> **해결 전략**
>
> □가 적힌 방으로 한 번에 이동할 수 있는 경우는 □-1 또는 □-2가 적힌 방에서 이동하는 경우입니다.

1 283개	**2** 흰 바둑돌, 55개
3 10번째	**4** 34가지

1 1번째, 2번째, 3번째, 4번째 모양에서 잘라진 삼각형 조각의 수를 세어 봅니다.

⟨1번째⟩ ⟨2번째⟩ ⟨3번째⟩ ⟨4번째⟩

   1   1+3   1+3+3   1+3+3+3

조각의 수는 전 단계보다 3개씩 늘어나는 것을 알 수 있습니다.

따라서 95번째에 찾을 수 있는 정삼각형 조각의 수는 $1+3 \times 94 = 1+282 = 283$(개)입니다.

2 1행부터 바둑돌의 수를 차례로 쓰면 다음과 같습니다.

> **해결 전략**
> 먼저 바둑돌이 늘어나는 규칙을 찾습니다.

1, 2, 3, 5, 8, 13 ······

이 수들은 앞의 두 수의 합이 다음 수가 되는 피보나치 수열입니다.

10행까지 바둑돌의 수를 쓰면 다음과 같습니다.

1, 2, 3, 5, 8, 13, 21, 34, 55, 89

10행까지의 검은 바둑돌의 수: $1+3+8+21+55 = 88$(개)

10행까지의 흰 바둑돌의 수: $2+5+13+34+89 = 143$(개)

따라서 10행까지 놓을 때 흰 바둑돌이 검은 바둑돌보다 $143-88 = 55$(개) 더 많습니다.

3 육각형의 각 가로줄에 있는 점의 개수를 세는 방법으로 개수를 구해 봅니다.

> **보충 개념**

2번째: 가로로 2개씩 3줄이므로 $2 \times 3 = 6$(개)입니다.

3번째: 가로로 3개씩 5줄이므로 $3 \times 5 = 15$(개)입니다.

4번째: 가로로 4개씩 7줄이므로 $4 \times 7 = 28$(개)입니다.

⋮

□번째: 가로로 □개씩 (□×2−1)줄이므로 □×(□×2−1)개입니다.

따라서 $10 \times 19 = 190$(개), $11 \times 21 = 231$(개)이므로

점 200개로 만들 수 있는 가장 큰 육각수는 10번째입니다.

4 첫 번째 칸을 채우는 방법은 1가지, 두 번째 칸까지 채우는 방법은 2가지입니다.

세 번째 칸까지 채우는 방법은 첫 번째 칸까지 타일을 채운 후

[☐☐]을 채우거나, 두 번째 칸까지 타일을 채운 후 [☐]을 채우면 됩니다.

같은 방법으로 생각하면 8번째 칸까지 타일을 채우는 방법은

6번째 칸까지 타일을 채운 후 [☐☐]을 채우거나 7번째 칸까지

타일을 채운 후 [☐]을 채우면 됩니다.

즉, 바닥 칸을 채우는 방법의 가짓수는 피보나치 수열을 이룹니다.

따라서 1, 2, 3, 5, 8, 13, 21, **34**이므로 8칸짜리 바닥을 채울 수 있는 방법은 34가지입니다.

1 2   **2** 8번째   **3** 32

4 21가지   **5** 729개   **6** 89

1

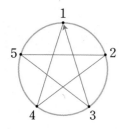

해결 전략
수가 반복되는 규칙을 찾아봅니다.

1, 4, 2, 5, 3이 반복되므로 5개의 수가 반복됩니다.

따라서 83÷5=16…3이므로 83번째 수는 세 번째 수와 같은 2입니다.

2

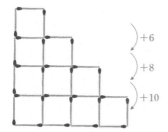

해결 전략
사용한 성냥개비의 수를 나열하여 규칙을
찾아봅니다.

	1번째	2번째	3번째	4번째	……
성냥개비의 개수	4	10	18	28	……

$+6$ $+8$ $+10$

더하는 수가 6부터 2씩 커지는 규칙입니다.

8번째: 4+(6+8+10+12+14+16+18)=88

9번째: 4+(6+8+10+12+14+16+18+20)=108이므로

성냥개비 100개로 만들 수 있는 가장 큰 모양은 8번째 모양입니다.

3 묶음에서 첫 번째 수를 나열하여 규칙을 찾아봅니다.

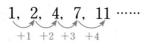

1, 2, 4, 7, 11 ……

$+1$ $+2$ $+3$ $+4$

보충 개념
수들이 묶음으로 규칙을 갖고 나열되어 있
는 수열을 '군수열'이라고 합니다.

더하는 수가 1부터 1씩 커지는 규칙입니다.

8번째 묶음에서 첫 번째 수는 1+(1+2+3+ …… +7)=29입니다.

따라서 8번째 묶음에서 네 번째 수는 29+3=32입니다.

4 첫 번째 계단을 오르는 방법: 1가지

두 번째 계단을 오르는 방법: (바닥에서 2칸을 오르는 가짓수)

$\qquad\qquad\qquad$ +(첫 번째 칸에서 1칸을 오르는 가짓수)

$\qquad\qquad$ ➡ 1+1=2(가지)

세 번째 계단을 오르는 방법: (첫 번째 칸에서 2칸을 오르는 가짓수)

$\qquad\qquad\qquad$ +(두 번째 칸에서 1칸을 오르는 가짓수)

$\qquad\qquad$ ➡ 1+2=3(가지)

네 번째 계단을 오르는 방법: (두 번째 칸에서 2칸을 오르는 가짓수)

$\qquad\qquad\qquad$ +(세 번째 칸에서 1칸을 오르는 가짓수)

$\qquad\qquad$ ➡ 2+3=5(가지)

계단을 오르는 방법의 가짓수는 피보나치 수열을 이룹니다.

따라서 7번째 계단을 오르는 방법은

1, 2, 3, 5, 8, 13, ㉑ 이므로 21가지입니다.

해결 전략
한 번에 한 칸 또는 두 칸씩 계단을 오르는 방법의 가짓수는 피보나치 수열을 이룹니다.

5 남아 있는 정사각형의 수를 나열하여 규칙을 찾아봅니다.

1, 3, 9, 27 ……

정사각형의 개수는 3배씩 늘어나는 규칙입니다.

따라서 7번째에 남아 있는 정사각형의 개수는

$1 \times (3 \times 3 \times 3 \times 3 \times 3 \times 3) = 729$(개)입니다.

보충 개념
□번째에서 정사각형의 개수는 3을
(□−1)번 곱한 것입니다.

6 대각선에 있는 수들의 규칙을 찾아봅니다.

1, 3, 7, 13, 21 ……

$\qquad$ +2 +4 +6 +8

더하는 수가 2, 4, 6, 8 ……로 커지는 규칙입니다.

10행 10열의 수는

$1 + (2+4+6+8+10+12+14+16+18) = 1+90 = 91$이고,

짝수 행은 대각선에 있는 수에서 왼쪽으로 1칸씩 갈수록 1씩 작아지므로

10행 8열의 수는 91−2=89입니다.

해결 전략
10행 8열의 수는 10행 10열의 수에서 왼쪽으로 2칸 옆에 있는 수입니다.

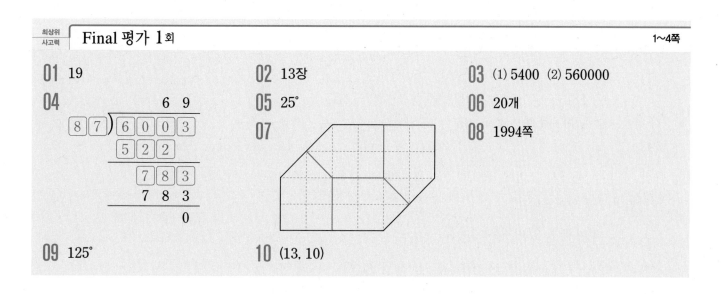

01 19

02 13장

03 (1) 5400 (2) 560000

04
```
         6 9
 8 7 ) 6 0 0 3
       5 2 2
       7 8 3
       7 8 3
           0
```

05 25°

06 20개

07

08 1994쪽

09 125°

10 (13, 10)

---

01 ㉠×㉡×13=1170, ㉠×㉡=1170÷13=90입니다.
㉠×㉡=1×90=2×45=3×30=5×18=6×15=9×10
이므로 (㉠, ㉡)=(9, 10)일 때 ㉠+㉡=19로 가장 작습니다.

> 해결 전략
> ㉠×㉡의 값이 얼마인지 먼저 구합니다.

02

> 해결 전략
> 색종이의 세 꼭짓점 중 한 곳에 ○표 하며 위에서부터 한 장씩 세어 봅니다.

03 (1) 4×25=100을 이용하도록 4와 25가 있는 곱으로 만듭니다.
9×24×25=9×6×4×25=9×6×100=5400
(2) 56과 560은 수의 배열은 같고 자릿수만 다르므로 이 두 수를 이용합니다.
6750×56=675×560을 이용하면
6750×56+325×560=675×560+325×560
=(675+325)×560
=1000×560=560000입니다.

> 보충 개념
> 분배법칙을 이용하여 곱을 간단히 할 수 있는 원리를 알아봅니다.
> 675×560+325×560
> =(675+325)×560

04 가장 먼저 알 수 있는 칸부터 다음과 같이 찾아봅니다.

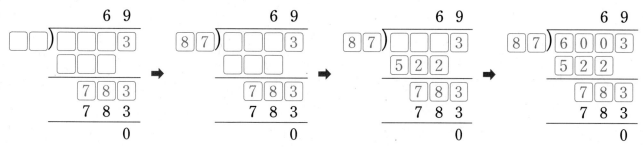

05 도형의 꼭짓점 ㄴ과 꼭짓점 ㄷ을 잇는 보조선을 그어 생각합니다.

삼각형 ㄱㄴㄷ의 세 각의 크기의 합은 180°이고,

(각 ㄹㄴㄷ)+(각 ㄹㄷㄴ)=180°−120°=60°입니다.

(각 ㄱㄴㄹ)=180°−(각 ㄹㄴㄷ)−(각 ㄹㄷㄴ)−30°−65°,

(각 ㄱㄴㄹ)=180°−60°−30°−65°=25°입니다.

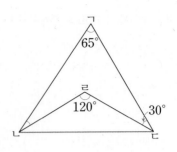

06 다섯 자리 수 중에서 조건에 맞도록 1, 2, 3의 순서대로 배치하는 방법의 수를 알아봅니다.

해결 전략
1, 2, 3 이 붙어 있는 경우와 떨어져 있는 경우로 나누어 찾아봅니다.

- 1, 2, 3 이 붙어 있는 경우: 3가지

➡ 1 2 3 ☐ ☐ , ☐ 1 2 3 ☐ , ☐ ☐ 1 2 3

- 1, 2 가 붙어 있는 경우: 3가지

➡ 1 2 ☐ 3 ☐ , 1 2 ☐ ☐ 3 , ☐ 1 2 ☐ 3

- 2, 3 이 붙어 있는 경우: 3가지

➡ 1 ☐ 2 3 ☐ , 1 ☐ ☐ 2 3 , ☐ 1 ☐ 2 3

- 1, 2, 3 이 모두 떨어져 있는 경우: 1가지

➡ 1 ☐ 2 ☐ 3

각각의 경우마다 4 와 5 가 서로 위치를 바꿀 수 있으므로

조건에 맞는 수는 모두 (3+3+3+1)×2=20(개)입니다.

07 직각삼각형 2개와 작은 정사각형 1개는 같은 크기이므로 크기가 같은 4조각으로 나누려면 1조각은 20÷4=5(개)의 작은 정사각형으로 이루어져야 합니다.

나누어진 4조각으로 모양과 크기가 똑같아야 하는데 주어진 도형에는 작은 직각삼각형 모양이 있으므로 작은 직각삼각형을 포함하는 조각으로 똑같이 나눕니다.

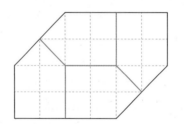

해결 전략
먼저 1개의 도형이 몇 개의 칸으로 이루어졌는지 구합니다.

08 쪽수 중 한 자리 수부터 세 자리 수까지에 사용된 숫자는

1에서 9까지 사용된 숫자의 개수 1×9=9(개),

10에서 99까지 사용된 숫자의 개수 2×90=180(개),

100에서 999까지 사용된 숫자의 개수 3×900=2700(개)로

모두 9+180+2700=2889(개)입니다.

전체 쪽수에 사용된 숫자는 6869개이므로 네 자리 수 쪽수를 적는데 사용된 숫자는 모두 6869−2889=3980(개)입니다.

네 자리 쪽수는 3980÷4=995(쪽)이므로

이 책은 1000쪽부터 995쪽이 더 있습니다.

따라서 이 책은 모두 1994쪽입니다.

해결 전략
한 자리 수, 두 자리 수, 세 자리 수, 네 자리 수로 나누어 쪽수에 사용된 숫자의 개수를 구합니다.

09 큰 눈금 5부터 10까지의 각도(㉠)는

$30° \times 5 = 150°$입니다.

짧은바늘은 10분에 $5°$, 50분에 $25°$ 움직이므로 짧은

바늘과 큰 눈금 5까지의 각도(㉡)는 $25°$입니다.

따라서 긴바늘과 짧은바늘이 이루는 작은 쪽의 각의

크기는 $150° - 25° = 125°$입니다.

해결 전략
짧은바늘이 5를 가리키고 있다고 생각하여 긴바늘과 작은바늘이 이루는 작은 쪽의 각을 먼저 구합니다.

다른 풀이
짧은바늘이 6을 가리킨다고 생각하여 두 바늘이 이루는 각(㉠)을 구한 후, 6시가 되기 전 남은 10분 동안 짧은바늘이 움직인 각도(㉡)를 더합니다.
큰 눈금 6부터 10까지의 작은 각의 크기는 $30° \times 4 = 120°$입니다.
짧은바늘은 10분에 $5°$ 움직이므로 긴바늘과 짧은바늘이 이루는 작은 쪽의 각의 크기는 $120° + 5° = 125°$입니다.

10

	1열	2열	3열	4열	5열
1행	1	4	5	16	17
2행	2	3	6	15	18
3행	9	8	7	14	19
4행	10	11	12	13	20
5행	25	24	23	22	21

해결 전략
각 행이나 열에 있는 수들의 규칙을 찾아봅니다.

➡ : 1부터 시작하여 1씩 커집니다.

➡ : 더하는 수가 2씩 커지는 규칙입니다.

$$1 \quad 3 \quad 7 \quad 13 \quad 21 \cdots\cdots$$
$$\quad +2 \quad +4 \quad +6 \quad +8$$

대각선에 있는 수 중에서 160과 가까이 있는 수를 찾습니다.

$1 + (2 + 4 + 6 + 8 + 10 + 12 + 14 + 16 + 18 + 20 + 22 + 24)$

$= 1 + 26 \times 12 \div 2 = 157$로 157은 (13, 13)에 있습니다.

홀수 번째 행에서는 대각선에 있는 수에서 왼쪽으로 1칸씩 갈수록 1씩 커집니다.

$157 + 3 = 160$이므로 (13, 13)에서 3칸 왼쪽에 있는 칸 (13, 10)에 160이

있습니다.

01 9828601793, 8928601793

02 45

03

04 6번

05 7명, 40권

06 256°

07 60°

08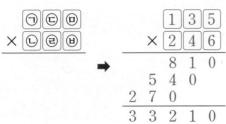

09 4000번

10 8가지

---

01 두 수의 가장 높은 두 자리의 숫자는 위치가 바뀌어 있고,
나머지 숫자는 위치가 같습니다.
㉠＞㉡이라고 할 때 ㉠㉡28601793−㉡㉠28601793＝900000000
이므로 ㉠은 ㉡보다 1이 더 큽니다.
㉠＋㉡이 가장 크려면 ㉠＝9, ㉡＝8이므로
두 수는 9828601793, 8928601793입니다.

> **해결 전략**
> 먼저 두 수의 공통점과 차이점을 찾아봅니다.

02 분모는 5부터 6씩 커지는 규칙이고, 분자는 9부터 3씩 커지는 규칙입니다.

$$\underset{\substack{+6 \quad +6 \quad +6}}{\overset{\substack{+3 \quad +3 \quad +3}}{\dfrac{9}{5},\ \dfrac{12}{11},\ \dfrac{15}{17},\ \dfrac{18}{23}}} \cdots\cdots \dfrac{㉠}{77}$$

$\dfrac{㉠}{77}$를 □번째 분수라고 하면

분모에서 $5+6×(□-1)=77$, $6×(□-1)=72$, $□-1=12$,

$□=13$이므로 $\dfrac{㉠}{77}$은 13번째 분수입니다.

따라서 ㉠＝$9+3×(13-1)=9+3×12=9+36=45$입니다.

> **해결 전략**
> 분모가 77인 분수는 몇 번째 분수인지 알아봅니다.
>
> **보충 개념**
> 더하는 수가 일정한 수열에서 □번째 수는 다음과 같이 구합니다.
> 첫 번째 수: 5, 더하는 수: 3
> ➡ □번째 수: $5+3×(□-1)$

03 ㉠, ㉡, ㉢, ㉣, ㉤, ㉥ 순서로 작은 수를 써넣습니다.

$$\begin{array}{r} ㉠㉢㉤ \\ ×\ ㉡㉣㉥ \end{array} \quad\Rightarrow\quad \begin{array}{r} 1\ 3\ 5 \\ ×\ 2\ 4\ 6 \\ \hline 8\ 1\ 0 \\ 5\ 4\ 0\ \ \\ 2\ 7\ 0\ \ \ \ \\ \hline 3\ 3\ 2\ 1\ 0 \end{array}$$

> **해결 전략**
> 가장 작은 곱을 만들려면 다음과 같은 순서로 작은 수를 써넣습니다.
> $$\begin{array}{r} ㉠㉢㉤ \\ ×\ ㉡㉣㉥ \end{array}$$

04 정사각형 D 를 정사각형 모양의 길을 따라 ㉠까지 시계 방향으로 굴리면 다음과 같습니다.

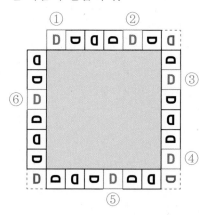

따라서 ㉠까지 굴렸을 때 알파벳이 똑바로 보이는 것은 모두 6번입니다.

해결 전략
정사각형 모양의 길은 한 변의 길이가 30 cm이므로 정사각형 D 는 한 변에 30÷5=6(번)씩 나옵니다.

05 가로를 나누어줄 학생 수 ◻명, 세로를 나누어줄 공책 수로 정하여 직사각형 그림을 그립니다.

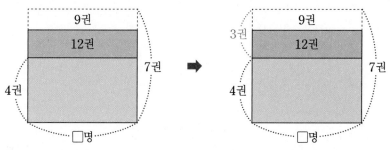

한 학생에게 나누어줄 공책 수의 차이가 7−4=3(권)일 때
12+9=21(권)의 차이가 나므로 학생 수는 21÷3=7(명)입니다.
따라서 학생 수는 7명이고, 공책 수는 4×7+12=28+12=40(권)입니다.

06

해결 전략
삼각형 세 각의 크기의 합을 이용하여 각 ㄱㅅㄷ의 크기를 먼저 구합니다.

삼각형의 세 각의 크기의 합은 180°이므로
삼각형 ㄱㅅㄷ에서 (각 ㄱㅅㄷ)=180°−30°−34°=116°입니다.
삼각형 ㅂㄴㅅ에서 외각인 각 ㄱㅅㄷ의 크기는
이웃하지 않는 두 내각의 크기의 합과 같으므로
(각 ㄴㅂㅅ)=116°−40°=76°입니다.
따라서 ㉠=180°+(각 ㄴㅂㅅ)=180°+76°=256°입니다.

07 (각 ㄴㄷㅂ)=15°이므로

(각 ㅂㄷㅅ)=15°입니다.

(각 ㅅㄷㄹ)=90°-15°-15°=60°이

고, 각 ㅅㄷㅁ과 각 ㅁㄷㄹ은 크기가 같

으므로 (각 ㅅㄷㅁ)=30°입니다.

(각 ㅁㄹㄷ)=90°이므로

(각 ㄷㅅㅁ)=90°입니다.

따라서 (각 ㄷㅁㅅ)=180°-90°-30°=60°입니다.

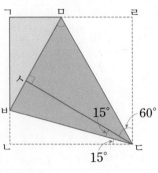

해결 전략
접기 전 부분과 접힌 부분은 각의 크기가 같음을 이용하여 크기가 같은 각을 찾아봅니다.

08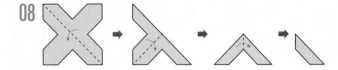

해결 전략
펼친 모양을 접는 방법과 같은 순서로 접어 생각합니다.

09 0부터 9999까지의 자연수를 모두 네 자리 수로 생각하여 다음과 같이 씁니다.

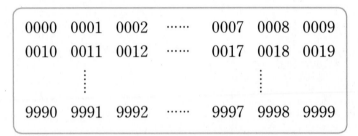

0부터 9999까지의 자연수의 개수는 10000개이고,

모두 네 자리 수이므로 숫자의 개수는 10000×4=40000(개)입니다.

0부터 9까지의 각 숫자의 개수는 모두 같으므로

숫자 7은 40000÷10=4000(번) 썼습니다.

해결 전략
0부터 9999까지의 모든 수를 0001(=1), 0382(=382)와 같이 네 자리 수로 나타내어 봅니다.

보충 개념
0부터 9999까지 자연수의 개수는 10000개입니다.

10 정사각형 1개와 직각삼각형 1개를 이어 붙이는 방법은 다음과 같이 한 가지입니다.

나머지 직각삼각형 1개를 돌려가며 붙이면 서로 다른 모양 8가지를 만들 수 있습니다.

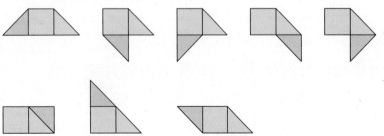

 **MEMO**

MEMO